# 「感謝の習慣」で人生はすべてうまくいく！

佐藤　伝

PHP文庫

○本表紙図柄＝ロゼッタ・ストーン（大英博物館蔵）
○本表紙デザイン＋紋章＝上田晃郷

## はじめに　感謝という最高の生き方

「私はいったいなんのために生きているの？」

「僕なんか、どれほどの価値があるんだろうか」

　私たちは、自分の存在価値を追い求めてやみません。日頃からエゴに支配されて生きているようであっても、自分さえよければ満足できる人間など本当はいなくて、心から「ありがとう」と感謝して、相手からも「ありがとう」と感謝してもらえるような人生を送りたいと、誰もが思っています。

　銀行の窓口などには、なんだか絶えず怒っている人がいます。

「なんでこんなに待たせるんだ」

「それはさっき説明したじゃないか」

　こういう人は、スーパーのレジでも、駅のホームでも、居酒屋でも怒っているものです。絶えずイライラして、自分でもよくわからない漠然とした不愉快な気持ちにさいなまれているのでしょう。

一方で、銀行の窓口でも、スーパーのレジでも「ありがとう」を欠かさない気持ちのいい人もいます。

どちらが幸せかなんて説明するまでもなく、いつも怒っている人だって本当は「ありがとう」といって幸せに生きていたいのです。

「ありがとう、嬉しい」
「あなたに感謝しています」

本書には、いつでもこういう言葉が口をつく幸せな人生を送る方法が書かれています。

感謝上手になるには二つの方法があって、一つは心のなかで感謝をつくりだすこと。もう一つは、心のなかでありがとうと思えないような状況でも、**体から感謝体質に変えてしまうこと**です。

この**両面作戦**でいくのが私の方法。本書で述べているのは、決して道徳的なきれいごとではありません。

私はいま、多くの読者のみなさまに支えられて感謝に満ちた日々を送っていますが、最初からそうだったわけではありません。

だからこそ、私が身をもって体験した「感謝の力」をお伝えしたいのです。

ギスギスしている人に接すると、どうしても心がささくれ立ちます。仕事がうまくいかなければ、どうしてもイライラします。しかし、そうした気持ちを感謝に変えてしまうと、すべての状況が一変します。

ありがとうパワーの素晴らしさと、それを簡単にラクラク自分のものにする方法を、感謝を込めて私からあなたに贈ります。

夢実現ナビゲーター　佐藤　伝

目次

## 第2章　あなたはこんなに自由なんです！



## 第3章　自分のなかの偏見とサヨナラしよう

## 第4章　見えない力に感謝する

## 第5章　運を引き寄せる感謝大作戦



## 第6章　感謝のステージを無限にする

編集協力／中村富美枝

# 第1章 感謝の習慣が幸せをつれてくる

# 「ありがとうの応援合戦」ができる人

私の知人の若者が、台風で被害を受けた家を片づけるボランティアに参加しました。

彼はこれまで、積極的にボランティア活動に取り組んでいたわけではありません。友人に誘われるままに、軽い気持ちで参加してみたのです。

はたして活動現場に行って、彼は息をのみます。

「なんなんだこの景色は……。それにこの強烈な臭い！」

とにかく一面の泥で、家も畑も森もどす黒く覆われています。その泥には溢れた下水と汚水とがまじり合って、糞尿の臭いがぷんぷんしています。

被害を受けた住人が大切に使ってきた家具や、思い出いっぱいのアルバムもその泥の沼にまみれています。

「ああ、これは、なんとしても他人の俺たちがやらなくちゃ……」

彼は、腹を据えます。被害者が自分たちで片づけるには、悲しすぎる状況だと思ったそうです。それからの彼は、炎天下のなか、早朝から夜遅くまで、復興作業に没頭します。

泥がぎっしりつまったタンスは、男二人の力をもってもびくともしません。そうしたものを根気強く運び出しながら、汚れた道具類や衣服も洗って乾かしていきます。どう見たって使える状態じゃないランドセルが出てきたときも、出来る限りきれいにして家の人に返しました。

すると、それを見た家の人は号泣します。そのランドセルは、おじいちゃんが孫のために買ってあげて、孫も大事に使っていたものだったそうです。

「ありがとう、本当にありがとう！」

活動している間、彼は何度この言葉を受けたかわからないといいます。しかし、彼はこういいました。

「いや、こっちこそありがとうといいたいです。みなさんが感謝してくれるだけで、疲れも知らずに働けましたから」

じつは、家にいるとき、彼は母親から年中、怒られていました。

「少しは自分の部屋をきれいにしなさい！」

自分の部屋の掃除は何度いわれてもできないのに、見知らぬ人がありがとうといってくれるだけで、驚くほどの片づけ作業をこなすことができました。彼はそこに自分の使命を見つけることができたのです。

**使命を見つけたとき、人はエネルギーをどんどん循環させることができます。**だから疲れません。疲れとはエネルギーが滞るから起きるのであり、エネルギーが回っていると疲れるどころか気力もどんどん満ちてきます。

**ありがとうという言葉には、エネルギーを循環させてしまうものすごいパワーがあるのです。**

あなたは「ツール・ド・フランス」という自転車レースを知っていますか？その大スター選手に、ランス・アームストロングというアメリカ人がいます。彼の感動的なエピソードを紹介しましょう。

ランスはもともと強い選手ではあったのですが、ヨーロッパ勢が中心のレースにおいて、アメリカ人選手は歓迎されません。

しかも、彼は若くして進行性のがんにおかされてしまいます。

「ああ、もうランスはおしまいだな」

ほとんどのスポンサーが離れていくなかで、ナイキと、サングラスメーカーのオークレイは変わらず彼を励まします。

「大丈夫だよ、ランス。一緒にがんばろうよ」

それでも、彼が受けたショックは相当のものでした。

「これだけ鍛えてきた僕でさえ、がんにかかると精神的にもこんなに苦しいんだ。ましてや子どもだったら、どんなに大変だろう……」

そう考えた彼は、その日から世界中の小児がんの子どもたちのために走ることを決意します。レースで得た賞金も、小児がんの治療や研究のために寄付することにしました。進行性のがんがいつ自分の命を終わらせるかわからないけれど、最後まで走る姿を子どもたちに見せよう……。

するとどうしたことか、健康であったときにもできなかったほどのきついトレーニングができてしまいます。それまでは**自分の記録のためだけにトレーニングしていたけれど、今度は使命《ミッション》があるからできる**のです。

そして、ありえないような奇跡が本当に起こります。結果的に彼は、がんにおかされているにもかかわらず、以前よりも強くなって連戦連勝します。しかも、なんと医者から見放されていたがんもみるみる治ってしまうのです。

そんな力がいったいどこにあったのか。

「ありがとう！　ランス！」

ランスが走るレースのロード沿いには、車いすに乗った闘病中の子どもたちが、必死で旗を振って応援してくれています。

「ランス！　ありがとう、ありがとう！」

この応援に対して、ランスはきっと心のなかで叫んでいたと思うのです。

「こちらこそ、ありがとう！」

まさにありがとうの応援合戦をしていたはずです。ありがとうの応援合戦ができたとき、人はものすごい力を発揮します。

そのときのランスは、もちろんナイキのウェアを着て、オークレイのサングラスをかけていましたが、本来、風の抵抗を考えてヘルメットのなかに入れるサングラスのツルの部分を、あえてヘルメットの上に出していました。

自分の使い勝手よりも、がんになった自分を見捨てず励まし続けてくれた数少ないスポンサーに対する、彼の精一杯の感謝でした。

子どもたちの目にも、そんなランスの生き様がはっきりと焼き付いたはずです。そのランス・アームストロングは、世界一苛酷なツール・ド・フランスで前人未踏の7連覇をなしとげたのです。

# 「条件なしのありがとう」をいえる幸せ

私は小さい頃から、ありがとうという言葉の効果について教えてもらっていました。私の父は脳外科医でしたが、とにかくよくありがとうをいうのです。

手術というのはどれもハードなものですが、脳外科の手術はとくに緊張を強いられます。患者さんは、前もって手術の予定が立っていた人ばかりではありません。脳内出血など一刻を争う状態で運び込まれる人も多くいます。

そうした患者さんの頭を開けて複雑な血管をつないだりと、繊細かつ集中力が要求される手術が多いので、邪心が入っては患者さんの命に関わります。

そこで、父は手術の前に、患者さんに頭を下げるそうです。

「ありがとうございます。手術をさせていただきます」

そして、その日の手術に参加するスタッフ全員に向かって、

「この手術のために、みんなの力をありがとうございます」

といいます。スタッフもまた、「ありがとうございます」と返してくれます。そうやってみんなで感謝し合うことで、気持ちが一つになって手術に臨めるのだそうです。

**みんなで「ありがとうシャワー」を浴びているんですね。**邪心を洗い流すシャワーです。

手術が終わった後にも、やはり、ありがとうシャワー。

「手術をさせていただきました。ありがとうございます」

「みんなのおかげで無事に終わりました。ありがとうございます」

こうして手術の前と後にありがとうのサンドイッチをするのだそうです。

普通は、物事が終わった後にいうことが多いありがとうですが、最初にいうほうが脳科学的にもいいそうです。**ありがとうをいったことで幸せになった脳**

**が、筋肉のよけいな緊張をとってくれる**ので、無心で手術に臨めるのです。

患者さんに対してありがとうという父を見て、幼い頃の私は不思議に思ったものです。

「どうして患者さんにありがとうなんていうの？　普通は患者さんや患者さんの家族のほうから、お医者さんにありがとうっていうんじゃないの？」

こうたずねる私に父が教えてくれたのです。

「あのね。患者さんは、大切な命を僕に預けて手術をさせてくれているんだよ。いくら感謝してもしたりないくらいじゃないか」

考えてみれば、患者さんが一方的に感謝をしなければならないなんておかしい話です。そこには医者と患者という上下関係ができてしまっています。上下関係のあるところに、本当の感謝は生まれません。

これは、お店の店員さんとお客さんの場合も同じですし、ちょっとしたお礼を交わし合う場面でも同様です。

「(こんなにお金を落としてくれて) ありがとうございます」
「(注文してくれて) ありがとうございます」
「(ハンカチを拾ってくれて) ありがとうございます」
「(道を譲ってくれて) ありがとうございます」

すべて、条件がついたありがとうになっています。

私たちが日頃、口にしているありがとうは、ほとんどが「条件つき」なのですが、**条件なしのありがとうがいえたときの幸せ**って、すごいものがあります。

誰かに何かをしてもらったからではなく、その人が存在してくれることにありがとうといえる。そんな人に出会えたことも幸せなら、そんなふうに人を大事に思える自分はさらに幸せです。条件なしのありがとうがいえるとき、私たちはまさに自由の境地にいるのです。

毎朝、出かける前に、**宇宙に向かってありがとう**をいってみましょう。

「ご先祖さま、今日も見守ってくださりありがとうございます」

その日に会うことになっている人たちにもいってみましょう。

「みなさん、今日も私とともにいてくださりありがとうございます」

その日に何が待っているかなんてクヨクヨ思い煩《わずら》わずに、まず先にありがとうをいってしまう。これで、緊張がすっと解け、仕事も人間関係もスムーズにいくはずです。

そして帰ってきたら、また、ありがとうです。

「ご先祖さま、今日も無事に過ごすことができました。ありがとうございます」

「みなさん、ともにいてくださってありがとうございます」

**いいことをしてくれたから感謝するのではなく、まず最初に感謝をする。**

自分の毎日を感謝という甘いジャムでサンドイッチする。そんな習慣が、あなたを幸福体質に変えてくれるのです。

## 自分で自分に、無条件のありがとうをいおう

感謝っていったい誰に対してするのでしょうか。

親？　恋人？　友人？　神さま？　感謝できる対象が多い人ほど幸せなのは間違いありませんが、でも**「自分に対する感謝」**が抜けていてはいけません。

誰に感謝するよりも、まず感謝すべきは自分に対してなのです。考えてもみてください。自分の存在に感謝できない人が、他の人に心から感謝するなんてできるはずもありません。

先に述べたボランティアの若者にしても、ランス・アームストロングにして

も、自分の今の幸せに感謝しているのです。それが結果的に他の人も幸せにできるから、そこに「ありがとうの応援合戦」が生まれます。

日本には昔から「犠牲」を讃美する精神があり、なかなか「自分のために」といいにくい風潮があります。

「私が不幸になっても、子どもが幸せになるならそれでいい」

「会社で僕さえ我慢していれば、まるくおさまるんだ!」

でも、これは絶対におかしい。お母さんが不幸で幸せな子どもなどいませんし、誰か一人が我慢して、他の人が喜んでいる会社に未来はありません。私たち人間は、自分の幸せと、まわりの人の幸せの両方を考えながら生きていく存在なのです。

「自分はどうなってもいい」

という考えは、一見、慎ましやかなようで、じつはとても傲慢《ごうまん》なのです。

「私が幸せにならなければ、まわりの人も幸せになれないんだ」

ということを忘れてはいけないのです。

ただ、勘違いしてほしくないのは、自分に感謝することと、自分で自分を褒めるということは違います。

「よく頑張ったね」

こうして自分を褒めるとき、そこには「褒めてあげる自分」と「褒められる自分」が存在します。つまり自分のなかに上下関係をつくってしまっているのです。そうではなくて、

「頑張った自分にもありがとう」

「頑張らなかった自分にもありがとう」

無条件に自分にありがとうをいっていいのです。

**良いとか悪いとかジャッジをしないで、ありのままの自分に感謝しましょう。**

健康なあなたもすごいし、風邪をひいたあなたもすごい。そのどちらにも感謝することが重要です。

風邪をひくと鼻水も出るし、喉は痛いし、頭までぼーっとして不快ですよ

ね。さらに風邪の後半になるとせきが止まらなくなります。よく眠れないし、エネルギーを使ってくたくたになります。

でも、それらは全部、悪いものを自分の体のなかから出して浄化してあげようという身体《カラダ》さんの素晴らしい働きによるものです。

鼻水にもありがとう。

せきにもありがとう。

そして、せきをしている自分にもありがとうなのです。

「自分に感謝をしてあげたいけれど、そんな自信が持てない」

こんな気持ちになってしまう人は、きっと真面目な人なのですが、どこかで自分を決めつけているのです。

一つ、大切なことを覚えておいてください。それは、

**「自分が自由であることの本質は、変化にある」**

ということです。いかにもあなたらしい行動を繰り返すことが、あなたがあ

なたであるということではありません。

「あの人は、いつもきちんとスーツを着ているね」

こういわれている自分でいることが、あなたらしいことではありません。

逆に、短パンをはいたり作務衣《さむえ》を着たり、どんどん変化していくことこそ、あなたがあなたであるということなのです。

変化がなければ、すべてがよどんでいきます。赤血球は120日で新しくなりますが、もしこの変化がストップしたら、血液も体液もめぐらなくなり生命を維持することはできません。あなたは、自分をどんどん変化させることによってあなたでいることができるのです。

**自由の本質は変化です。**

休日もネクタイをしていなければ落ち着かないワーカホリックなビジネスマンや、一年中ジャージで過ごす無気力なニートなど、行き詰まっていく人はみんなワンパターン。

「クローゼットを見ると、その人がわかる」

とよくいいますが、あなたのクローゼットはいかがですか？　同じような服が並んでいることが多いのではないでしょうか？

「私は、こういう服が似合うタイプだから」

「僕は、紺とか落ち着いた色でないと似合わないから」

こんなふうに、自分で決めつけていませんか？

せめて、休日には、いままで考えてもみなかったような服を着てみましょう。

真っ赤なTシャツ、破れたジーンズ、和服や作務衣……。男性だったらネックレスにチャレンジしてもいいですね。仕事の都合で髪を染めることができない女性なら、休日に金髪のカツラをかぶったっていいんです。

「あれ、案外、似合うじゃない」

「こういうのも意外と楽しいかも」

それが本当のあなたらしさなのです。そして、そんな変化を許せた自分に、すかさずありがとうをいってください。

## 「ありがとうボール」を自分の心に投げ入れる

自分で自分にありがとうがいえる人は、他の人に対してもたくさんのありがとうがいえます。自分には感謝できない人が、その分、他の人に感謝できるのかといったらそうではありません。

感謝というのは、多く持てる人は無限に持てるし、持とうとしなければいつまでたっても持てないものなのです。

どういうことか説明しましょう。

私たちの心のなかに**「ありがとうの壺」**があると考えてください。そこには「ありがとうのボール」が入るようになっています。

**自分で自分にありがとうがいえる人は、自分でボールを生産してどんどん壺に入れていけます。**いつもボールが溢れているから、そのボールをいくらでも他の人たちに分けてあげられます。

自分で自分にありがとうがいえないと、すぐに壺が空っぽになってしまいます。だから他の人からありがとうをいってもらわなくてはなりません。もちろん、他の人から感謝のボールをもらうのは素晴らしいことです。ただ、一つ間違うと本意でないことをする結果になります。

「この前は、貴重な日曜日だっていうのに、引っ越しを手伝ってくれてありがとう。本当に助かったよ」

「そう？　それはよかった。僕でよければいつでもいってよ。どうせ日曜日はヒマにしてるんだし」

「本当？　じゃあ、また今度も来てくれる？　全然片づいてないんだよ。助かるな、ありがとうね」

「いいよ、お安いご用だよ」

でも、心のなかで「チェッ」と思っています。

こうして無理をして集めた感謝のボールは、とても貴重ですからやすやすとは、他の人に回してあげる気になりません。そして、回さずに溜め込んでいるボールは生気をなくし、元気にはずむこともなくなります。

自分の壺からAさんの壺へ、Aさんの壺からBさんの壺へ、Bさんの壺からCさんの壺へ……。**感謝のボールはたくさんの人に次から次へと元気にはずんで、パスされていくのがいい**のです。

まずは自分の心の壺に、自分で感謝のボールをたくさん投げ込んでおきましょう。そして、それをどんどん人に渡してあげる。すると、まわりの人からもボールがひっきりなしにパスされてきます。

こういう生き方は、自分が本当にやりたいことをやっていてこそ可能です。

疲れを感じながらいやいややっているとエネルギーも停滞しますから、自分への感謝のボールもつくれません。しかし、使命をもってやっていると、面白いほどにボールが湧き出てきます。

**感謝してもらうためにやるのではなく、自分がやりたいからやる。**

マザー・テレサはその典型です。彼女は神への感謝、それを形にできている自分への感謝で満ちあふれていたはずです。だから、無条件ですべての人に愛を捧げることができました。

マザー・テレサだけでなく、野口英世もパスツールもそうでしょう。彼らは、

「いったい、いつ寝ているの？」

というくらいに働きましたが、自分の使命であったからできたのです。人は、自分の「ミッション」と「ヴィジョン」に気づいたとき、生活と幸福が限りなくイコールになっていくのです。

## モノにもありがとうをいってください

感謝の言葉を述べる対象は、生きているものに限りません。

ちょっとまわりを見渡せば、あなたのために働いてくれているものがたくさんあります。服、靴、鞄……、それらは自分で選んで買ったものかもしれませんが、**あなたの生活に合わせて一生懸命働いてくれている**のです。

「まずい、会社に遅刻しちゃう！」

あわてて駅まで走っていくことがありますね。足を動かしているのはあなたでも、地面を必死で蹴ってくれているのは靴なのです。服も激しい動きに合わせてあっちが伸びこっちが伸び、大変です。鞄だって、振り回されながらも必死にあなたの持ち物を守ってくれています。

「モノには命はない」

なんて思わないでください。たとえば、ノートだってちゃんと生きています。紙はもともと木から材料を抽出しています。ノートには、ちゃんと植物としての波動があるのです。それを知れば、乱暴に引き裂いたり、放り投げたりすることはできないはずです。

一流の職人さんは、みんな道具を大事にします。板前さんなら、包丁の手入れはもちろんのこと、鍋などの道具もピカピカに磨き上げます。その道具があってこそ、自分がいい仕事ができると知っているのですね。

スポーツ選手も同様です。イチローが道具をとても大事にしているのは有名な話ですし、引退した新庄剛は一つのグローブを修理して使い続けました。彼くらいになれば、スポンサーからいくらでも新品を提供してもらえます。

しかし、彼がそうしなかったのは、**モノへの感謝のパワーを知っていたから**ではないでしょうか。そして、だからこそ、あそこまで成功を収めることができたのでしょう。

私には医師の知り合いがけっこういますが、彼らの多くがいうには、薬を飲むときの気持ち次第で、その薬の効き目が違うのだそうです。

「先生、かなり調子がよくなってきました。この薬、効きますねえ」

といって飲む人には、本当によく効く。

「こんなもの飲んだって変わりゃしないでしょうが」

とふて腐れて飲めば、ほとんど効かない。

なぜこうしたことが起きるのかといったら、それは私たちと薬の間にいい波動が生まれるかどうかによるのです。私たちは生きていないものを、ただの物質、塊だと思ってしまいがちですが、**どんなものにも波動があります**。すべての原子に、それぞれ固有の振動数があるからです。

モノを大切にしない人、モノに感謝できない人は、モノと自分との間に邪気とでもいうべき悪い波動を生んでしまうのです。

これから薬を飲むときには、ありがとうをいってから飲んでみてください。

「この薬を飲むことで、私は元気になる。薬さん、ありがとう」

「お腹の具合が悪かったけれど、この薬のおかげで快調になる。ありがとう」

この一言で、いままでとは効き目が違ってくるはずです。


そもそも、食事前にいう「いただきます」の意味を、ご存じでしたか?

**「あなたの命を私の命に変えさせていただきます」**

という意味なのです。


ついさっきまで、海の中で悠々と泳ぎまわっていた魚たち。その命を私たちの命に変えさせていただくのが食事なのです。

薬にもお米にも命がある。それを自分の命に変えさせていただくつもりで感謝してください。

## ねたみという感情から抜け出すために

人はみんな、自分を自由に表現したいと思っていますが、多くの人がどこかでそれを押さえつけています。

「こんなことといったらバカだと思われないかしら」

「俺らしくないことをしたらみっともないしな」

しかし、こうして自分を押さえることは、人をねたむ気持ちを生んでしまいます。自由に自分を表現している人を見て、なにかにつけて文句をいいたくなるのです。

これは不幸なサイクルそのものです。

本当は自分を出したいのに、それを押さえてしまう。

だから、自分を出せる人がねたましい。

自分がねたんでいるように人にねたまれるのもいやだから、ますます自分を押さえてしまう。

これでは、いつまでたっても誰も幸せになれません。この不幸サイクルから抜け出すには、**意識的にでもいいですから、褒め合う環境をつくる**ことが大事です。

ゴールデンウィークやお盆の時期などのニュース番組には、必ず成田空港からのレポートが流れます。

ごった返している空港から、海外旅行へ旅立つ人々が映し出されるのを見て、あなたはどんな感想を口にしますか?

「バカみたい、混雑しているこの時期に海外旅行なんて」

「そんなに長く休んでいられる仕事しかしていないのか。使えないヤツだな」

これでは、自分も楽しい気持ちになれません。そして、それを聞いたまわりの人は、

「旅行の話は、この人の前ではしないでおこう」

と心を閉ざしてしまいます。

そうではなくて、

「いいねえ。頑張ったご褒美だね。気をつけて行ってらっしゃい」

「家族で海外旅行か。コミュニケーションがとれそうだね。うんと楽しんできてほしいね」

と褒め合い、賞賛し合うことが必要なのです。

とくに子どもたちは、親のいうことを敏感に察知しています。親が人を認める習慣を持っているのと、なにかにつけてこき下ろしているのとでは、子どもの自己表現力が変わってきます。

たとえば、家族でテレビを見ているときに、派手な服を着たタレントが出て

きたとします。

「なーに、この服？　下品なピンクねえ。だいたいこの人、ブリっこで気持ち悪いよね」

こんなふうにこき下ろす親が多いのですが、それを聞いた子どもはどう思うでしょうか。

「そうか。ハデなピンク色の服なんて着て目立つとまずいんだな……」

こうして、自分を自由に表現したい気持ちを押さえる子どもに育ちます。

「かわいいピンクだねえ。この子、ハツラツとしていていいよね」

こうやって褒めたら、子どもはどう思うでしょうか。

「そうか。こうやって自由にイキイキとしていていいんだな」

こう考えることができた子どもは、自由に伸び伸びと、人をねたむこともせず、褒め上手、感謝上手の子どもに育ちます。

大人同士の関係においても同様です。

「この人の前だと、本当に自由に自分を出せるな」

とお互いに思えるようなつきあいをするためには、まず褒め合う環境をつくることです。

**目の前の相手を褒めるだけでなく、第三者に対してもけなすのではなく褒める**のです。そうすれば相手は、

「この人は、どんなことでも悪いほうへはとらない人だな。私に関しても、いい部分をきっと見てくれるな」

と安心して心を開いてくれます。

誰かを認め、賞賛し祝福できる気持ちでいられることは、とても幸せなことです。

相手の考えを認め受け入れることのできるオープン・マインドな心のスタンスこそが、人生で幸せな人間関係を構築していくゴールデン・ルールなのです。

# 誰かを賞賛するだけで、人生は進展する

「いっちゃ悪いけど……」

これ、よく聞くセリフです。

「悪いと思っているならいうな！」

と返したくなりますが、もし、あなたがこの言葉を口にしてしまったら、その裏側には、**相手に対する賞賛があること**に気づいてください。

非難は形を変えた賞賛なのです。

「あいつ、ちょっと儲けすぎだよな。アフィリエイトとかでたいして汗も流さずに儲けてさ。いっちゃ悪いけど、ろくでもないよ」

「なんか、あの人、どっかのコンテストで優勝したんだって。でもよくやるよね。いっちゃ悪いけど、それほど美人とも思えないし」

こんなことを口にしているとき、深層心理ではこう思っています。

「すごいな。それ、自分もやってみたい！」

つまり、**ねたんでいるように見えて、本当は相手を賞賛したい気持ちがある**のです。自分のなかに人を賞賛したい気持ちがあると気づけば、そのときから相手に対してだけでなく、自分に対しても肯定感が生まれます。

「いっちゃ悪いけど……」

と一言添えるのは、どこかで自分が後ろめたいからでもあります。人を悪くいうのは、かっこいいことではないと気づいています。だけど、いわずにいられない自分、人を非難せずにはいられない自分がいる。でも、

「また、いっちゃった。私は人をねたんでばかりの人間だわ」

と落ち込む必要はありません。人を非難しているのではなく賞賛していたのですから。

**「死んだ犬は誰も蹴らない」**

という言葉があります。人は、本当にダメな人に追い打ちをかけたりはしません。あなたが蹴りそうになってしまったのは、それが反感をかうほど素晴らしい犬だったからです。蹴ろうとした行為が、じつは賞賛からきているものだと気づけば、もう二度と蹴ろうとする気持ちは生まれません。

**「誰かをこき下ろすより、賞賛しましょう」**

これは、なにも道徳的な意味でいっているのではありません。そのほうが、あなたにとって断然トクだからいっているのです。

賞賛する気持ちは、あなたの人生をどんどん、いい方向へ進展させてくれるでしょう。

たとえば、友人がかっこいいオープンカーに乗っていたとします。

「すごいなあ。かっこいいね。僕もいつか乗ってみたいなあ」

と素直に賞賛して、自分の気持ちをオープンに表現していると、ものごとは意外な方向に進むことがあります。

「こういう車好きなの？　じつはさ、僕も特別なルートから安く買い付けることができたんだよ。今度、いいディーラー紹介しようか？」

実際にディーラーを紹介してもらうことはなかったにしても、友人の記憶にはしっかり残ります。そして、なにかいい話があったときに、

「そうだ、この話は彼に回してあげよう。たしか、オープンカーに乗りたいって言ってたもんな」

こんなふうにして、**賞賛することができる人のところへ、どんどんいい話は舞い込んでくる**のです。

目の前にいる相手に対してだけでなく、第三者に対しても同じように賞賛できれば、なおさらいいことが起こります。

あなたが友人と、高級マンションのモデルルームを見に行ったとしましょう。

「なんだよ、この内装。このデザイナー趣味悪いよな。こりゃないぜ」

どのみち買う予定のない冷やかし見学だからと、気に入らないところばかり見つけてこき下ろしていれば、それでおしまい。なんの進展もありません。ところが、どんなところでも褒めてみれば、世界は広がるのです。


「面白い内装だね。こういうのを、デザイナーズマンションっていうの？　僕じゃとても手が出ない物件だけど、なかなかユニークだね」

「あれ？　こういうの興味あるの？　じゃあ、今度デザイナー紹介しようか。手頃な値段でかっこよくリフォームしてる人、知っているよ」

「本当に？　ありがとう。嬉しいなあ、ありがとうね！」

「いや、べつにそんなに感謝してもらうほどのことじゃないよ」

つまらなそうにしている人とは早く離れたくなりますが、**感謝上手な人のためには、人は力を貸してあげたくなるものなのです。**

「ありがとう」の五文字には、人を自分の夢にエンロールしていく不思議なパワーがあるのです。

## 自分と他人の間に、助け合いの「夢サイクル」をつくる

感謝の気持ちを素直に表すことができる人は、さらに多くの人から手助けをしてもらうことができる幸せな人です。

人生は循環させるもの、そしてお互いに循環させ合うものです。

私たちは毎朝起きて、人と会い、仕事をし、食事をし、お金を使って、夜になったら眠りにつきます。人生とは、これらのことをグルグル循環させながら、スパイラルにより高い境地へのぼっていくものだといってもいいでしょう。

さまざまなものを循環させる水車のようなものが、私たちのなかにあると考

えてください。私たちはそれを回し続けなければなりませんが、感謝上手な人というのは、自分の水車を人に回してもらうことができるのです。

「この間、紹介していただいたレストラン、とってもおいしかったです。お店の方の感じもよくて最高でした。ありがとうございます」

「ホント？　それはよかった。じゃあまた違うタイプのレストランでいいところあったら紹介するよ」

グルグル水車を回してくれます。

「丁寧なレポートをありがとう。すごくわかりやすかったよ。おかげで取引先との連絡も滞りなくできたよ。ありがとう」

「そうですか、よかったです。では、次回の企画についても私なりに調べて、またレポートを提出しますね」

グルグル水車を回してくれます。

これがなければ、自分の水車を自分一人で回さなければなりません。しんどい話です。

そして、もう一つ素晴らしいことは、感謝の気持ちを表すということは、相手の水車も回していることになるのです。

「そうか、あのレストラン喜んでくれたんだな。だったら今度は中華で探してみたら楽しいな」

「あのレポートは役にたったのね。だったら、もっといい形でまとめられるように考えてみよう」

相手の中でも水車がグルグル回り始めます。

お互いに相手の水車を回し合える関係。そんな夢サイクルは、感謝の気持ち一つでできるのです。

自分の水車を回してもらいたいときに、ただ待っていてはどうにもなりません。自分の水車を人に回してもらうための一番いい方法は、**感謝の言葉を口にして、相手の水車を先に回してしまうこと**なのです。

夢サイクルの水車をお互いに回し続けるためには、認め上手、褒め上手、感謝上手になるだけでなく、素直に自分を出すということも重要です。

**困ったことがあったら、素直に「助けて」ということです。**

長男や長女はこれがどうも苦手です。子どもの頃から「しっかり者」であることを期待されてきた彼らは、

「無理なんじゃないか、ちょっと助けてあげないと」

「できないだろう、誰かが手伝ってあげないと」

と思われることで、とてもプライドが傷ついてしまいます。

「どうした？　ちょっと疲れているんじゃないか？」

と問われれば、

「いえいえ、全然。大丈夫です！」

と答えてしまう。しかし、これでは周囲の人も水車を回してあげようがありません。

「はい。じつは、ちょっと腰が痛いんですよね」

素直に自分を出せれば、結果は違ってきます。

「なんだ、大事にしろよ。いい整体師知っているから紹介するよ」

こうして紹介してもらった整体師にかかることで、あなたの体調がよくなるし、それは相手にとっても大変な喜びなのです。

**自分を素直に出さないということは、相手を喜ばせる機会も失っている**と気づいてください。

また、**知らないことを素直に知らないということ**も大事です。

「この内装、○○がデザインした感じだよね」

と語りかけられて、○○さんを知らないのに、

「ああ、そうだね」

といっていたら、それでおしまい。進展はありません。

「その人、知らないけど、どういう人なの？」

「あ、そう？　知らない？　結構かっこいいデザインやるんだ。でも、そんなに高くないよ。もし興味あったら紹介しようか」

知らないと素直にいえば、誰でも喜んで応援してくれます。

さらに、**相手が褒めてくれたときに、妙な恥じらいは無用**です。

「お、いいカバン持っているじゃない。かっこいいなあ」

「いや、そんなことないですよ、安物ですから」

これではなんの進展もなし。

「そうでしょ、いいでしょう。デザインがすご〜く気に入ってるんですよね。褒めてくださって、ありがとうございます。うれしいなあ〜」

「どこで買ったの？　教えてよ」

こうして進展させれば、相手の水車もグルグル回っていくのです。

**困ったこと、欲しいもの、やってみたいこと、教えてほしいこと、これらは素直にどんどん口にしていいのです。**

口に出して十回、いってみると「叶《かな》う」という文字になるじゃありませんか！　隠してモゾモゾするよりも、サクッと素直に表現するほうが、夢を叶えていく近道なのです。そして、きどったあなたよりも、自然体のあなたのほうがずっと魅力的で、しかも強いのです。

# 第2章 あなたはこんなに自由なんです！

# 般若心経に込められた宇宙のメッセージ

「感謝こそ人生をよりよいものにする」

私がこう考えるようになったのは、祖父の影響が強くあります。

私の母方の祖父は多田等観という仏教学者でした。すでに三十年ほど前に他界していますが、巷間では、チベット仏教の泰斗《たいと》と評価していただいておりまず。祖父の人生を書き始めたら、それだけで一冊の本になってしまいますが、ここで簡単に紹介させてください。

祖父は、明治四十四年にインドに渡り、そこでダライ・ラマ十三世に謁見します。その場でチベットのラサにくるように要請され、苦労しながらも一か月でラサに到着します。

ダライ・ラマ十三世に見込まれた祖父は、それから十年チベットに残り、日本人としてははじめてチベット仏教のすべてを伝授されます。祖父が日本に戻るときには門外不出のチベット大蔵経全集や秘蔵書、秘仏、マンダラなど二万四千を超える重要な資料を託されました。

日本に戻った祖父は、それらの整理や翻訳をはじめ、ロックフェラー財団などの支援も受けながら東大・慶應大・東北大・ＵＣＬＡなどで教鞭をとり、生涯をチベット仏教の研究に費やしました。

そういう祖父がいたので、私は幼い頃から古代サンスクリット語に親しんできました。なかでも般若心経の意味を祖父から教えてもらったときは、子どもながらに、なにかとてもありがたい気持ちになったものです。

みなさんも、般若心経は全部でなくとも一部は思い出せるのではないでしょうか。般若心経は、もともと六百巻もあるお経を凝縮に凝縮を重ね、本文二六六文字に収めたものです。この般若心経はいったいどんなことを私たちに教えてくれているのでしょうか。

じつは、般若心経の、

「ぎゃてい・ぎゃてい・はらぁぎゃてい……」

ではじまる最後の一文は、こういうことをいっています。

**「自由だ、自由だ、自由になった。大宇宙よありがとう」**

般若心経が私たちに教えているのは、

「あなたは自由でなんのブロックもない。宇宙と一体で最高に自由な存在である。あなたはなにも悩むことはない。日々、宇宙に向かって発信しなさい。大宇宙よありがとう」

ということなのです。

とても意外だったのではないでしょうか？　仏教の教えというと、なにか戒《いまし》められたり、叱《しか》られたりするのだと思っていたのではないでしょうか？　そうではなくて、一貫して自由であり、何のバイアス（偏見・先入観）やブロックもなく、**許しと感謝に満ちている**のです。チベットですべてのカリキュラムを修めた日本人僧が最後に行きついたのは「大宇宙よありがとう」という境地だったということです。

また、お経にはやたらと「……ソワカ」という言葉が出てきますね。これは古代サンスクリット語で「スバーハー」にあたるのですが、その意味は、「すでにかないました。ありがとう」「成就しちゃいました。ありがとう」というものです。つまり、お経は**「感謝の先取り」**をしているのです。

宇宙には完璧なるシナリオがあって、私たちはそのシナリオのままに生かされています。一見いやなことに思えても、そのシナリオにしたがえば、すべてがいいようになっています。**私たちの人生は、いい方向にいくしかない**のだから、なにも不安に思う必要はありません。すべてはかなうようになっているのですから、先に感謝してしまおうというのが「……ソワカ」の意味です。安心して感謝して生きることこそ、本質的な仏教の教えなのです。

## 人生は観光気分の「遊行《ゆぎょう》」でいい

仏教に限らず宗教はなんでもそうですが、決して人を縛りつけるものではないのです。むしろ自由の境地に解放してくれるものです。

イスラム教では偶像崇拝を厳しく禁じていますが、ブッダも死ぬときに、「私の像をつくって拝んだりしてはいけないよ」と、弟子に伝えています。

仏典に『自灯明　法燈明』というブッダの残した遺言《ゆいごん》があります。法というのは人間のつくった法律ではなく、宇宙の真理のことです。

「自分自身のなかに真理があるのだから、**自分を拠り所にして生きなさい。**宇宙の真理を頼って生きていきなさい」

と、ブッダが、自らの死を前にしてうろたえる弟子たちに諭《さと》したのです。つまり、私たちは、自分の魂の声に従って生きていけばいいということです。

そもそも仏教には、人生を修行の場としてとらえない考え方があります。

とくに時宗《じしゅう》を興した一遍上人は別名を遊行上人《ゆぎょうしょうにん》とも呼ばれ、人生は修行でなく遊行だと説きました。

一遍上人は「踊り念仏」を全国に広めましたが、これはいまなら「クラブ念仏」・「ディスコ念仏」とでも呼ばれるでしょう。要するに、楽しく踊りながら念仏を唱えればいいんだというのです。

もちろん、これは一遍上人独自の考えで、宗派によって様々な教えがありましたが、弘法大師空海もまた、興味深い考えを残しています。

私の尊敬する池口恵観《えかん》師の著書のなかに、空海の詩を現代語訳したものがあります。それを読むと、空海は最後にこういっているのです。

「ああ、同志よ　どうしてもっとゆったりと遊ばないのか」

なんとも勇気づけられるあたたかいメッセージですよね。

遊行という考え方は、起こったことを全部受け止めるものです。一見いやなことに思えても、それはそれで意味があると考えます。

しかし、人生は修行だととらえていると、そこにはジャッジが生まれます。修行では「かくあるべし」という信念がじゃまをして、そうでないものは許せなくなっていきます。

たとえば、私が出している本の内容とそっくりな本を出した人がいるとします。人生が遊行であるなら、そのこと自体を受け入れ、許し、一歩進んでその人を応援することだってできるでしょう。

「なにか、お手伝いできることはありませんか？」

そう声をかけることで、もしかしたら二人で対談する機会がもてるかもしれません。しかし、修行であるならそうはいきません。

「こういうことをするべきではありません」

と、相手を責め、憎しみにとらわれることになるでしょう。


先日、起業家を目指す若い人たちに対して、東京ドームで講演をする機会がありました。私の他には「フランチャイズの見分け方」など、具体的に役立つ内容を話す講師ばかりでした。そんななかで、私は、「人生は遊行だ」と話したのです。


「みんなバリバリにがんばっている人ばかりだから、僕の話は受け入れられないだろうなー」

と思っていたら、講演後の主催者アンケートでは、**人生は遊行だという考え方**に一番感銘を受けたというコメントが多くて驚きました。


起業家のためのセミナーでは、だいたいが、

「将来の成功のために、いまはひたすらがんばるしかない！」

「豪華に遊ぶ金が欲しかったら、ひたすら働け！」

などと発破をかけます。しかし、

「遊ぶために仕事をする」

という考え方はとても不幸なものだと私は思います。ウィークデーのほとんどの時間は仕事に費やされています。土日だって、頭のなかには翌週の予定が浮かんでいます。

そういう状況で、休日を味わい尽くすことができなくなっていてはあまりにも不幸です。

私は**人生とは「観光」でいい**と思っています。観光という言葉の語源を辞書で調べてみると「観音さまの光を観る」、つまり観音参りからきていることがわかります。

たとえば、みんな、ハワイに行っている間はリラックスしてなんでも楽しんでいますよね。光ばっかり観て、まさに観光です。それが、成田に着いたとたんに、

「はあー。また仕事かー」

とがっくりきてしまいます。このときから、いつもの「観闇」モードになってしまいます。そうではなくて、**普段から光を見ていていいのです**。

普段から闇を観ている人ほど、光を観たくなって旅行に行きます。旅行に行くのは大いに結構ですが、普段から闇を観ずに光を観て生きることが、そのまま「遊行」となるのです。

# あなたは一〇〇パーセント幸せなんです

般若心経の本文は「観自在菩薩《かんじざいぼさつ》……」ではじまりますが、この「観自在」という言葉は、**とらわれなくありのままをそのまま受け入れる**という意味です。自分のなかの基準でジャッジしないのです。ビートルズの『Let it be』に通じるものがありますね。

私たちは、自分のなかで思い込んだり、人と比べたりして無意味なジャッジを日々たくさんしています。

たとえば、幸せかどうか問われたときにも、このジャッジが顔を出します。

幸せって、一〇〇パーセントかゼロか、本当はこの二つしかありません。

「うーん、まあまあ幸せ。半分くらいは満足している」

「八割方、これでいいんじゃない？」

こういう人は、つねに何割かの欠乏感を持っています。

「いまよりも、もっと素晴らしい人生があるはずだ」

という幻想を抱いて生きているのです。つまり、いまは完全ではない、満た満たされていないと思っています。ということは、その人は不幸なのです。本人は八割方は幸せだと考えていても、じつはゼロとかわりないのです。


幸せを感じるセンサーが鈍っている人というのは、幸せに条件をつけていることが多いのです。

「彼が結婚してくれたら、どんなに幸せだろう」

「ポルシェに乗れたら、俺は幸せだ」

こんなふうに考えているときは不幸せ。条件つきの幸せを求めるのは、不幸せのはじまりなのです。

もっというと、**本当はみんな一〇〇パーセント幸せ**なんです。私たちは生きて、呼吸をしています。それだけで、生きているだけで、私たちは一〇〇パーセント幸せで、それを誇りに思っていいのです。


インフルエンザにかかると、とってもつらいですよね。高熱が続くだけでなく体中がだるくて節々もいたみます。ノドも痛くて食事もうまくとれません。

「ああ、つらい。せめて熱だけでも下がってくれたらなあ」

こうして苦しい日々が過ぎ、やがて快方に向かっていきます。

「ああ、ずいぶんラクになった。ありがたい」

せきも出ずに普通に呼吸ができることがどんなにありがたいか実感します。

「あー、快調だわ、幸せ！」

幸せはこうして感じるものです。

**幸せって「なる」ものではなくて「感じる」ものなのです。**

「ああ、幸せだなあ」

と感じたら、そのとき人はすでに幸せになっているのですが、こう感じることができなければ、どうやったって幸せではありえないのです。

「ああ、おいしい。幸せだなあ」

「楽しいなあ。幸せだな」

こう感じる時間が多い人ほど幸せなのであって、高価なものを食べられる人やものを多く持っている人が幸せなのではありません。


幸せは、青い鳥のように追い求めたり探したりするものではありません。**すでにあなたのなかにあるのです。それをあなたが感じれば、もうそれで幸せ。**当たり前のことに感謝できれば、あなたは一〇〇パーセント幸せなのです。


朝、目が覚めたことに感謝。

お水がノドを通ることに感謝。

トイレに行って排泄できることに感謝。

通勤電車が動いていることに感謝。

こうした当たり前のことこそ、私たちにとってとても大切なこと。でも、普段からあまりに普通にできてしまっているから、感謝を忘れてしまうのです。

## 「今・ココ・わたし」に感謝していますか

私たちは「いま」しか生きることができません。いま「ありがとう」という気持ちでいられなければ、永遠に幸せな日はこないのです。

「私はいまはショボい生活をしているけれど、十年後を見ていてよ」

「未来のために俺はいま、苦労しているんだ」

とかく日本人はこういう考え方をします。しかし、**未来というのはいまの延長でしかありません。**いまの気持ちが、そのまま将来をつくるのです。いまを感謝の気持ちで生きられない人が、どうやって感謝できるような未来を生きられるというのでしょうか。

私の友人が、ブラジルのリオのカーニバルに行ったときのことです。深夜になって最高潮の盛り上がりゴールデンタイム。私の友人も大いに楽しんでいるのですが、一方で明日のことが気になり始めます。

「明日も早起きだし、そろそろホテルに帰って寝るか」

それを聞いてラテン系の人々は不思議に思います。

「なんで帰るの？　楽しくないのかい？」

「いや、すごく楽しいし、もっとこうしていたいけど、明日の予定もあるから今日はほどほどにしておかないと……」

もう、ラテンの人々の頭のなかはクエスチョンマークでいっぱいです。

彼らにとっては**いまの喜びがすべて**であり、明日のためにその歓喜をドブに捨てるという発想はないのです。

「楽しーい！」

心からそう思える時間があれば、それを味わい尽くすべきであって、わざわざストップをかける必要なんてない、という非常にわかりやすいロジックで生きています。

私たち日本人も、ラテンの人々の発想を学ぶ必要がありそうです。人生を遊行としてとらえられないから、将来のためにいまを犠牲にする「先憂後楽」という発想が出てくるのです。

ブラジルと日本では経済的にも格差があり、物質的な面では日本人のほうが満たされているかもしれません。幸せ度が高くていいはずなのに、自殺率も、鬱病などにかかる率も、自分の生活に満足できないと答える人の率も、圧倒的に日本人のほうが高いのはなぜなのでしょう。

「いまに満足してはいけない」

「明日のために、今日を頑張らなくてはいけない」

こんな教育を受けて日本人は育ちました。しかし、このもっともらしい呪縛から私たちは一刻も早く抜け出さなくてはなりません。そうしないと、この無限ループはいつまでも続きます。

「三十代の幸せのために、いまの二十代を頑張ろう」

そう考えて三十代を迎えた人は、

「四十代の幸せのために、いまの三十代は我慢しておこう」

と考えつづける三十代を過ごします。

今を楽しんで感謝するという二十代を過ごした人だけが、三十代も四十代もずっと幸せに過ごしていけるのです。

「明日のために今日は少し我慢しておこう」

という生き方は、**潜在意識に絶えず不足感、欠乏感、不満感を残す**ことになります。その結果、感謝の気持ちが持てないばかりか、人を祝福する気持ちも生まれません。どこかで人をうらやむようになるのです。

いまの気持ちが、そのまま明日をつくるのだということを忘れないでください。あなたは**今日という日を一〇〇パーセント楽しんでいい**のです。

# 私たちは「いまの気持ち」が続くように生かされている

いまに感謝して生きることがなぜ大切なのか。

それは私たちが**「いまの気持ち」が続くように生かされているから**です。それが宇宙の法則なのです。宇宙は、それぞれの人間が抱いているいまの気持ちがずっと続くようにと考えてくれています。

「幸せだな、ありがたいな」

と思っている人は、その気持ちがずっと続くようにしてもらえます。

「いやになっちゃうな、つまんないな」

と思っている人は、その気持ちがずっと続くようにしてもらえます。

イライラしている人はいつ会ってもイライラしていますが、それも宇宙の法則によるものなのです。

人をねたんだり、不足感を抱いて生きていると、ずっとそういう状態で生きることになってしまいます。

「ああ、いまよりあと三十万円給料が高かったらいいのにな」

いま、こう思っている人は、この気持ちがずっと続くように生かされます。もし、いま二十五万円の月給で、あと三十万円上がって五十五万円の月給をとれるようになっても、その人はこう思うのです。

「ああ、いまよりもう三十万円だけ給料が高かったらいいのにな」

結局、不足感を抱き続け、幸せな感情はやってきません。それよりもまず、感謝の気持ちがないわけですから、給料自体が上がる可能性も低いでしょう。つまり永遠にお金が欠乏した気持ちで生きなければならないのです。一方で、

「お給料をたくさんもらえて幸せ」

と思っている人はどうでしょうか。神さまはこう判断します。

「そうか、この人は給料がたくさんもらえて嬉しいんだな。だったら、その気持ちがずっと続くようにしてあげよう」

そうして、どんどん収入が上がって、お金が増えていきます。本人はさらに感謝するので、ますますお金が入ってきます。

ここに、神さまに手を合わせるときの大切なヒントがあります。

**感謝を口にした人にはさらなる喜びがやってきますが、お願い事をしていると、その願いはなかなかかなわない**ということです。

「お金持ちになれますように」

神社などにお参りして、こう心のなかで唱える人は多いでしょう。しかし、神さまからは、

「よし、あいわかった。来年もしっかり、お金持ちになれますようにと願えるようにしてあげよう」

と判断され、永遠にお金持ちにはなれません。

**「お金が循環しています。ありがとうございます」**

と感謝をすれば、あなたの財布に絶えずお金が入ってきて、いい循環をするようになります。

では、もう一つ、こんなケースはどうでしょうか。

「いまのパートナーとずっと幸せでありますように」

この場合、いまが幸せであるということは主張していますが、この言い方もじつはとても危険です。この裏には、

「いつかうまくいかなくなるのではないか」

という不安が見え隠れしています。将来に対する不安を宣言してしまったようなものなのです。本当に末永く一緒にいたいのであれば、まず感謝が先でなくてはいけません。

「出会えたことに感謝しています」

「パートナーに感謝しています」

**不足感や欠乏感からスタートすると、その不安・心配スパイラルから抜け出**

**ることができません。**どこかに不安感や不安感を抱いている人は、一度、思いきってリセットしましょう。

今日からは、感謝をまず口にしてみてください。先に感謝してしまえば、その感謝の状況が続くようになって、不足感や不安感から解放されます。私はこれを「大感謝、大満足」といっていますが、**大きな感謝をすれば必ず大きな満足がやってきます。**

先に感謝であることが重要なのに、多くの人は「大満足、大感謝」と考えてしまいます。本当はいくら感謝してもしたりないほど私たちは満たされているのに、勝手な思い込みで不足感を抱き、

「まず満足させてくれよ。そうしたら感謝するよ」

と思ってしまいます。しかし、これは宇宙の原則に照らしてみれば、「逆」なのです。

すべては「ありがとう」からスタートです！

## あなたは、なにを選択してもいいのです

私たちは宇宙から無限の可能性を与えられています。

幸せになる方法なんていくらでもあるのに、感謝がないとそれに気づけないのです。

「ああ、なんだか本当に疲れた。ハワイにでも行きたいなー」

ぼんやりと考えているなら、この週末からいきなり行ってしまったっていいのです。できないと決めつけているからできないだけで、本当はなんだって可能です。

週末どころかパスポートさえ持っていれば、ネットでリザーブしていまから

成田空港に向かったっていいのです。夕刻から夜にかけて、成田発のハワイ便は結構あります。それを押さえてホノルルに向かうことは誰だってできます。

**私たちには、そんな自由があります。**


密かに思いを寄せている人がいるとして、その人にどういうふうに接すればいいのか。これだって、じつに多くの選択肢があります。

なにもいわずにがまんするのも一つの方法。

思いきっていってみる権利も、もちろんあります。

誰かに伝えてもらったってかまいません。

小さなプレゼントをしてもいいでしょう。

週末のコンサートに誘ってみるのも手です。


書いていたらきりがないほど方法はあります。コンビニで飴を選ぶときに自分で好きなものを選んでいいように、愛を告白する方法も好きなように選んでいいのです。

それなのに、人生で大事なこととなると、とたんに自分で選択の幅を狭めてしまうのはなぜなのでしょうか。

**「私はなにを選択してもいいんだよ」**

自分で自分にこういってあげましょう。そして、その選択はすべて正しいのだという自信を持ってください。

なぜならば、**あなたは完璧なる宇宙のシナリオに沿って生きていて、どの選択肢を選んだとしても、いいようになるしかない**のですから。

もっと自由に生きてください。自由に好きなものを選んで好きなことをやっていいのです。そういう生き方こそ、宇宙への感謝を表す生き方です。

「それって自分勝手なだけで、感謝とはほど遠いのではないか」

「感謝を表す生き方とは、もっと自己抑制する生き方なのではないか」

こんなふうに考えてしまいがちな人に、大事なことを一つ。

**私たちに与えられたもっとも大切な役割は、宇宙のエネルギーを循環させる**

ことです。

私たちは小さな一つの命にすぎませんが、こうした一つひとつの命が、エネルギーを循環させることで、宇宙が成り立っています。

循環させるエネルギーのなかには、もちろんお金もあります。仕事もあります。人間関係もあります。愛情もあります。感謝もあります。こうしたことを自由にどんどん回していくことが、命を与えられた私たちの役割なのです。

**宇宙のイメージは循環のイメージ。**我慢して滞らせずにどんどん自由に選択して回していってください。循環させている人は、お金も、健康面も、人間関係もすべてうまくいって、ありがとうだらけの人生を送ることができます。

音叉《おんさ》を振動させると、離れた場所にある音叉がひとりでにブーンと振動しはじめるように、「ありがとう」が次の「ありがとう」を共鳴させて、ドミノのように次々と「ありがとう」現象を起こしていくのです。

## 名前の意味、誕生日の意味を考えてみましょう

みなさんのなかにも、占い好きな人がいるでしょう。朝のテレビ番組には、占いコーナーを設けているケースが多いのですが、ほとんどが番組の最後に放映されます。

これも、いかに占いコーナーに人気があるかという証拠です。番組の最初にやってしまったら続きを見てもらえないから、最後まで引っ張っているのです。

星占いにしろ姓名判断にしろ風水にしろ、たしかに一理あります。

**星という字は「生まれた日」と書きます。**

人が生まれた日には意味があって、七月四日に生まれた人は、七月三日でも七月五日でもなく、四日に生まれる宿命にありました。これは自分で決められることではありません。

私たちには、見えない力がたくさん働いています。

**占いは、その見えない力の存在を感じて、感謝する一つの手段**にすればいいのであって、それで自分の行動を左右される必要などまったくありません。

ときには、脅すようなことをいう占い師もいます。自分のいうとおりにしなければ、不幸になるかのようなことをいう占い師もいます。しかし、私たちは宇宙の完璧なるシナリオにしたがって生かされているのですから、脅される必要など一つもないのです。

後ほど述べますが、私たちにはご先祖さまという大応援団もついています。そういった存在に見守られて、すべてがいい方向にいくしかないのですから、なにをいわれたってどうってことはありません。

占いは、いいことだけ利用するくらいの気持ちでいるのが一番です。

ただし、自分にとっていいことが書いてあったときに、

「よっしゃー！」

「ラッキー！」

で終わらせないでほしいのです。そのあとに、

「ありがとうございます」

を忘れないでください。いくらいいことが書いてあっても、感謝の気持ちがなければそれは実現しません。

**感謝というイグニッションキイを回したときにはじめて、その幸運が現実のものとなります。**

ところで、あなたは自分の名前が好きですか？　若い頃は、

「なんか、おばさん（おじさん）臭い感じで好きじゃない」

「読み間違えられることが多くてイヤ」

など、不満を感じることもありますが、歳を重ねるごとにだんだんと与えら

れた名前の意味がわかるようになってきます。

自分の名前に感謝することが増えてくるはずです。

**「姓名《せいめい》」は「生命《せいめい》」**であり、**「氏名《しめい》」は「使命《しめい》」**。つまり、あなたの名前はあなたの命のシンボルそのものなのです。

ですから私は、自己紹介するときは必ずフルネームで述べますし、相手を呼ぶときにもきちんと名前で呼びます。まちがっても、

「ちょっと、そこのメガネの子」

なんていってはいけないのです。

あなたの今世における使命を、名前や誕生日などの情報もフル動員して、見つけ出していって下さい。

ランス・アームストロングが見つけ出したような大感謝の使命が、あなたにも間違いなくあるのですから。

# 第3章 自分のなかの偏見とサヨナラしよう

# きれいなものも汚いものも存在しません

私たちは本当は、生きているだけでとても幸せな存在であるはずなのに、なぜなかなかそう思えないのでしょうか。

それは、人間が思い込みに支配されやすい生き物だからといえるでしょう。

気がつかないうちに私たちの心には、大きなバイアス(偏見・先入観)がかかっているのです。


人間のバイアスを指摘した、江戸時代の曹洞宗の僧侶、良寛さんの有名なエピソードがありますので紹介しましょう。

ある旅人が、一晩泊めてもらえないかと良寛さんの寺をたずねてきました。

当時の旅は、すべてが自分の足を使っての移動です。歩き続けた旅人の足は、泥で汚れきっていますから、畳に上がる前にまず足を洗ってもらいます。おけに水を満たし、旅人が気持ちよさそうに足を洗っています。歩き疲れて棒のようになった足に、冷たい水が心地いいことでしょう。それなのに、良寛さんは旅人をせかすのです。

「あのー、もうそろそろおけを返してもらえませんかのう」

親切に接してくれていた良寛さんが、突然そんなことをいうものですから、旅人はびっくりします。

「いや、すみません。ひどく足が汚れているものだから。おけは私がもとの場所に返しておきますが……」

するとと良寛さんはこういいます。

「いやいや。あなた、お腹空いているでしょう。早く食事の支度をして差し上げたいが、そのおけで米をとがんといかんから」

「ええっ⁉　足を洗ったおけで米をとぐのですか？」

あなたが旅人でも、きっと、同じように驚くでしょう。これが私たちにかかった大きなバイアスなのです。

良寛さんは、その旅人にやさしく諭《さと》します。足が汚くて、お米がきれいなものだというのは思い込みにすぎないと。

**この世に、きれいなものと汚いものという区別はなくて（不垢不浄）、それは勝手に人間が自分の基準で色分けしているだけだ**と教えるのです。

さて、あなたの基準で色分けしている、きれいなものと汚いものの典型例はなんでしょうか？

おそらく誰もが思うのは**「お金」**と**「排泄物」**でしょう。

うんちはもっとも汚くて価値のないもの。見たくもありませんから、トイレで排泄したあとは一刻も早く流してしまいたい。

それに対して、お金はとても価値のあるもの。少しでも自分のところにとどめておきたい。流してしまうなんてとんでもないものです。

でも、本当にそうなのでしょうか。

じつは、**私たちが汚いと感じる気持ちと、きれいと感じる気持ちはあわせ鏡のように表裏一体**なのです。つまり、どちらもバイアスです。きれいなもの、汚いものなど、この世に存在しないのに、変な思い込みで色づけしているだけです。

もし、心からお金をきれいなものだと思っているなら、なぜ、こんなことをいうのでしょうか。

「下世話な話で恐縮ですが、お支払いの件で……」

「お金の話をして、申し訳ないんですが……」

多くの人はなぜか、おおっぴらにお金の話をしないほうがいいとか、お金の話をするのは下品だと思ってしまいます。

そのとき、お金は汚いものだというバイアスがかかっています。つまり、うんちと同じ扱いなのです。

そのくらい、私たちの思い込みはいいかげんなものであり、私たちを振り回すやっかいなものなのです。

これまでも「循環」の大切さについて述べてきましたが、**バイアスがかかっていると循環がうまくいきません。**

循環とは、いうまでもなく「入って出ること」です。それが繰り返されることです。

「お金は素晴らしい。私のところで止めておきたい」

「うんちなんて最低だ。とっとと流してしまえ」

これではどちらも循環しません。

そうではなくて、バイアスを解いてどちらにも同じように感謝できたときに、どちらもみるみる循環しはじめるのです。

心の体質、つまり心質が変わったことで、金質と体質も変化していくわけです。

## 自分の排泄物にありがとうをいおう

人間がもっとも汚いものと思い込んでいる排泄物に、ありがとうをいえるようになると、感謝のステージがかなり高くなります。

意識的にでもいいですから、今日からトイレで排泄物を流す前に、小声でつぶやいてみてください。

「おしっこさん、循環してくれてありがとう」

「うんちさん、私の健康を守ってくれてありがとう」

こういうことを繰り返しているうちに思い込みがブレークスルーして、あなたは確実に感謝体質に変わっていきます。心のなかで思えないことでも、まず習慣にしてしまうことで、あとから心で理解できる。そういう逆説的方法も大いにとっていいのです。

私にいわせれば、うんちが汚いなんてよくいえたものです。それは、ついさっきまで自分の体のなかにあったのです。自分の消化器が消化して、自分の肛門から出てきただけ。うんちもおしっこも、じつは自分自身にほかなりません。

禅宗には、こんな大胆で痛快な考え方があります。

**「人間はたんなるクソ袋だ」**

私たちは、大小便を肉の袋で包み込んで歩いているだけだというのです。

いまは「脳ブーム」とでもいえるような状況で、脳に関する研究がさまざまに取り上げられています。人間の高度さを証明したい気持ちがそうさせるのかもしれません。

しかし、脳だけが偉いんじゃなくて、**ぼうこうや大腸など、排泄物を溜めておいてくれる臓器は、本当にありがたい存在**です。

便秘体質の人は、往々にして、排泄物に強い偏見を持っています。うんちが汚くて見たくないという潜在意識が、便秘を引き寄せてしまいます。

もちろん、便秘をしている人も、好きこのんで溜めておきたいわけではありません。便秘は苦しいですから、一刻も早く自分の体内から出て行ってほしいと考えています。

しかし、汚いもの、触れたくないもの、とっとと出て行ってほしいもの、ととらえている限り、うまく循環してくれません。

第1章で私は、人間関係における水車回しの話をしました。これは、個人個人の体についてもいえることです。

**自分の肉体や精神にも水車がある**のだと考えてください。そして、それをぐるぐる回さなければいけません。このとき、循環のイメージを持てる人ほどすべてがうまくいきます。

便秘をしたなら、汚いと思い込んでいるうんちから逃げるのではなくて、自分のなかをありがたい食料と栄養分が循環している様子をイメージしながら常温のミネラル・ウォーターをこまめに摂ります。こうやって自分で水車をぐるぐる回してあげる習慣を持つと、自然に快便体質に変わっていきます。

仕事がうまくいかなくて精神的に行き詰まってしまったなら、精神の水車をぐるぐる回してあげましょう。あなたはどんな方法を選んでもいいのだし、行き詰まる必要なんて一つもないのです。

あなたを苦しめているのは、すべてバイアス（偏見）なのだと気づいてください。それをブレークスルーするだけで、感謝の対象が何倍にも増えてきます。

**「ありがとう」という水で、心の水車をグルグル回す**ことが、幸せな成功（ハッピーサクセス）への原動力であり、すべての問題の最強の解決策なのです。

## トイレ掃除で心の革命が起きる

「いっていることはわかるけれど、実際問題、ブレークスルーって難しい」

こう考える読者も多いでしょう。

たしかに私たちは、何十年にもわたってその思い込みを持ち続けて生きてきたのですから、そう簡単に捨てられるものではないでしょう。

こんなときに、ぜひ試してみてほしいのがトイレ掃除です。ただし、トイレ掃除用の手を汚さないブラシを使うのではなくて、**雑巾やタワシを使って素手で掃除**してみてください。

人間の意識のなかで、もっとも汚いと思っている排泄物に、正面から切り込んでいくことで、数々の偏見や先入観、思い込み、凝《こ》り固まったネガティブ感情をブレークスルーすることができます。

大企業の経営者や、成功を収めた人のなかには、

**「趣味はトイレ掃除です」**

という人が少なくありません。それを聞いて、

「なんだよ、かっこつけちゃって。いい子ぶるなよ」

と反論する人がいます。

しかし、そういう人はトイレ掃除の快感を知らないだけなのです。

トイレ掃除が趣味だという人は、おそらく、それを掃除としてとらえていません。トイレ掃除は、現象として見ればたしかに掃除の一種なのですが、じつは**「心のそうじ」**をしているのです。

彼らは、トイレ掃除を通じて、自分で決めつけている**心のリミッターをはずすトレーニング**をしているといえます。

ところで、心のリミッターってどういうものでしょうか。

速度違反をした車を、白バイがすごいスピードで追いかけて捕まえることがありますね。どうして白バイにはそんなことができるのかといったら、リミッターという速度制御の部品をつけていないからです。普通のバイクや車にはリミッターがついていますが、白バイにはない。つまり白バイは、普通車が決して出せないスピードが出せるわけです。

これを心にあてはめて考えてみましょう。

「だいたい僕はこんなもんだろう」

「これが私の精一杯というところでしょうね」

と自分で決めていた自分の力が、リミッターをはずすことで、

「案外違うかも。もっといけるかも」

とブレークスルーできるのです。

私たちは、自分に対しても人に対してもバイアスをかけていて、世界を狭め

ています。

「○×さん？　ダメだよ、あの人は腹黒いから」

「え？　そこまでは私にはできっこないから」

自分ではたしかだと思っているし、当たり前のように口にしていますが、じつはどれも思い込みにすぎません。そういったすべての思い込みを捨てることができるのがトイレ掃除なのです。

自分がもっとも汚いと思っていたところに素手を突っ込んでいくのですから、**心の革命が起きます。**

「なんだ！　意外と簡単にできるじゃないか！」

私たちは、いやな仕事や面倒な仕事は、つい後回しにしてしまいます。やらなければいけないとわかってはいるけれど、なかなか行動に移せない。そういうときも、トイレ掃除一つで変わります。

「後回しにせず、いまやってしまおう！」

フットワークが軽くなって、ラクに手が伸ばせるようになります。実際にトイレ掃除をしたあとは、びっくりするほど仕事がはかどります。目の前の難題が、ウソのように解決していくのです。だからこそ、多くの成功者たちはトイレ掃除が好きなのです。

私の知り合いの営業マンが、興奮して報告してくれたことがあります。

彼は、自社商品とパンフレットをもって、東北地方を営業して回っていました。しかし、数日間にわたってまったく契約がとれません。郡山のとあるビジネスホテルにチェックインし、気分転換にシャワーでも浴びようとバスルームに入りました。そこで彼はなぜか突然、こう思ったそうです。

「そうだ。この便器を掃除してみようかな」

以前に、ある尊敬する社長から、トイレ掃除をしてみろとすすめられたことを思い出したのです。

ホテルですから掃除が行き届いており、見た目はまったく汚れていません。しかし、奥のほうには汚れがたまっていると聞いた記憶があったので、シャツの袖を上まであげ、便器の奥に手を突っ込んでみました。

手を入れてみると、ヌルッといやな感触が伝わってきます。

「うっ、これはまさか……」

すべて赤の他人が汚したものです。一瞬、彼はためらいますが、ひるまずにそのまま掃除を続けます。小一時間も格闘してシャワーを浴びたら気分もすっきり。営業成績が振るわなかったことも忘れて、ぐっすり眠りにつきました。

そして、翌日。驚くことに行く先々で契約が成立。自己最高の営業成績をあげることができたそうです。

おそらく、彼のなかのエゴが、他人のうんちと一緒に流れた結果でしょう。前日まで彼は、自分の成績を上げたいというエゴに支配された営業をしていたのに、その日はきっと、純粋にいい商品を伝えたいというスタンスに変わっていたのでしょう。

## お金に対する間違った考えから脱却する

人はお金に対して変な色をつけすぎています。

とっても魅力的なものになったと思ったら、今度はすごく汚いものに感じられたりします。バイアスだらけなんですね。

しかし、お金はきれいなものでも汚いものでもなく、ただのエネルギーにすぎません。いいお金も悪いお金もなく、お金はニュートラルなエネルギーなのです。

「金は天下の回りもの」

と昔からいわれますが、お金は人々の間を循環し、人々の夢をかなえ、人々を幸せにするニュートラルなエネルギーだと考えてみましょう。

そうすると、どういうふうに扱うのがいいかといったら、循環させるのが一番なのです。

**自分のところにお金というエネルギーが入ってきたら、それを使って楽しいことをします。**お金にありがとうといいながら使うのです。

本を買ったりコンサートに行ったりおいしいものを食べたりと、自分のために使ってもいいでしょう。

あるいは、両親や友人にちょっとしたプレゼントをして喜んでもらってもいいでしょう。

そうやって楽しいお金の使い方をした人のところへ、新しいエネルギーであるお金が入ってきます。

その人は、またそのエネルギーを使って自分の夢をかなえ、人々の幸せに寄与します。こうしてお金が循環するいいサイクルが生まれるのです。

では、**お金を循環させることができる人と、できない人の違い**はどこにあるのでしょうか。

それは、**お金を払うときの気持ちの違い**なのです。

たとえば日曜日の夕方、家族でファミリーレストランに行ったとしましょう。四人でそれぞれ好きなものを食べておしゃべりして、二時間も過ごしたでしょうか。レジで八千円ほどの会計をすませる段階で、あなたはどんな思いがよぎるでしょうか。

「楽しかった、ありがとう」

「おいしかった、ごちそうさま」

ありがたい気持ちで一万円札を渡すことができれば最高です。

自分が払った一万円札で、自分たちの家族が楽しい時間を過ごせただけでなく、そのお金が店員さんの給料になり、それをまた店員さんが使って楽しい時間を過ごす。そんな循環のイメージが持てたら、その人にはお金がどんどん入ってきます。

「あの人のところに行くと、とっても気持ちよく僕たちを回してくれるよ」とお金が友だちを連れてやってきてくれます。

お金は「循環したい」と思っているんですから。

一方で、こういう考え方をする人もいます。

「ああ、またこれで一万円札が一枚、出て行ってしまうなあ」

お金が減ってしまったことへの喪失感や欠乏感のイメージがつきまとっています。つまり、楽しくお金を使うことができなくて、お金を使うことが悲しいことになっているのです。

なるべくお金を放したくないし、循環させたくもないのです。しかし、こうしてお金を貯め込もうとする人には、お金は入ってきません。

お金を支払う場面では、受け取る側ばかりがお礼をいいます。

しかし、本当は**払ったほうも、ありがとうございますというべき**なのです。

なぜなら、楽しい気持ちでお金を使えるということは幸せなことだからです。

これができないでいると、お金は出て行ったのに、その人に次のお金は入ってきません。それどころかイライラ感が入ってきます。

「ええ？　こんなに払うの？」

「五万円もするの？　高いじゃない」

そこには、モノに対する感謝も、サービスに対する感謝もありません。ただお金が減ったという欠乏感があるだけです。自分が欲しかったものを買えた喜び、おいしいものを食べた喜びは忘れてしまっています。

お金を使うことを恐れる必要はありません。多くの人々の手に触れ、みんながいろいろな思いで使い、回してきたエネルギーです。

人間関係におけるコミュニケーションの象徴でもあるのです。

どんどん回してたくさんのコミュニケーションをとってください。

お金こそ、私たち人類が発明した最高の「**幸せ達成システム**」なのですから。

## お金がどんどん入ってくるお金の使い方

お金は、みんなで循環させるエネルギーです。だとしたら、自分だけのものであるような扱いをしてはいけません。

**自分の手元に回ってきたことを感謝し、そしてまた、誰かのもとへ旅立たせてあげる気持ち**が必要です。

お金は旅をしているのですから、自分のもとに来てくれたときは精一杯もてなし、旅立つときにも気持ちよく送り出してあげるのです。

しかし、いったん他の人の手に渡るとなると感謝の気持ちがなくなってしまう人がいます。

タクシーに乗ったとき、あなたはどうやってお金を払っていますか？

いまは、運転手さんの席と助手席の間に、お金を乗せるプレートが設置されているタクシーが多いですね。だからここにお金を置く人がほとんどではないでしょうか。

コンビニでお金を払うときはどうでしょうか？

カウンターの上にじゃらじゃら小銭を並べていく人が多いですよね。並べるならまだいいほうで、放り投げている人すら見かけます。これではお金は元気に旅立てません。

**「お金は手渡し」**

これが鉄則です。

お金をプレートやカウンターに置くのと、自分の手から運転手さんや店員さんの手に直接渡していくのと、どちらがお金に対する感謝が伝わるか、考えるまでもありません。

実際に、私が知る限りにおいても大富豪は必ずお金を手渡しします。決して投げ渡したりはしません。お金を投げる光景は、ファストフード店のレジカウンターでよく見受けられますが、五ツ星ホテルや一流宝石店でこれをやるお客はいません。

大富豪がどれだけお金を丁寧に扱い、お金に感謝しているか、その財布を見ればわかります。**彼らの財布のなかは、いつもとてもきれいに整理**されています。

それに対して、ファストフード店ですらお金を払うのが不愉快でたまらないという人の財布は、ごちゃごちゃ脹《ふく》らんでいます。脹らんでいるといっても、お金で脹らんでいるのではなく古いレシートなどが、無理矢理に突っ込んであるメタボ・サイフなのです。

このような財布にお金は来ません。

なぜなら、**財布はお金のホテル**だからです。居心地のいいホテルであれば何度でも泊まってくれます。口コミでいいホテルだと伝わりもします。そうした環境を整えないでいて、お金が来ないことに文句ばかりいっていてもダメなのです。

では、お金に対する感謝を表す財布とはどんなものか、具体的に説明しましょう。

まず、**小銭とお札を一緒にしない**ことです。

女性に多いのですが、お札も小銭もレシートもカラオケのサービス券も一緒、という財布は最悪です。

なぜなら、小銭は鉱物からできていて、お札は植物からできているからです。お札と小銭では波動がまったく違うのです。波動が違うものを一緒にされるのは、本人たちにとって大変な苦痛となります。

地震の被災地では、体育館に大勢の人がぶつかり合うように生活していますね。見ず知らずの相手で、生活パターンもまったく違うのに、同じスペースに詰め込まれているのですから、その疲れとストレスは大変なものでしょう。

ごちゃごちゃな財布は、これと同じことをお金に対してもやっていることになります。お金側からしてみれば、

「ああ、つらかった。二度と来たくない」

となってしまいますので、小銭入れと札入れは別にしてください。

さらに、**お札の種類によって入れるポケットを別にします。**お金持ちの人の多くは、一万円札と五千円札と千円札を分けてキチンと入れています。お札にも位《ランク》があって、それによって待遇が違うのは当たり前です。

飛行機でいえば、ファーストクラス、ビジネスクラス、エコノミークラスと分けていいのです。位が違うのに雑魚寝《ざこね》させるのは、お札に対して失礼だと思ってください。

二つ折りの財布でないほうがいいのは、いうまでもありません。二つに折りたたまれた状態で安眠できる人はいませんよね。

さらに、私が日常的に行っていて、あなたにも試してほしいのが、

**「財布と共にお参りをしよう」**

というものです。神社に行ってお参りをするときに、私は「9マス手帳（ドリーム・ナビゲーター）」を出して、

「お金を循環させていただきまして、ありがとうございます」

と財布と共にお礼をいいます（注・著者は独自に開発した財布を合体させた9マス手帳を愛用しているため）。

神社に行かなくても、自宅の神棚や仏壇に財布を置いてもかまいません。

夜、帰宅したら、財布を取り出して神棚や仏壇に置いて、

「今日も一日、ありがとうございました」

「お金が循環して、ランチをおいしく食べることができました」

とお礼をいいます。そして翌朝、出かける前に、その財布を手に取り、

「今日も一日、よろしくお願いします」

といってから出かけます。

これをやると、驚くほどお金が入ってきますよ！

「ウソだ～っ！　そんなの信じられない！」

といわずに、だまされたと思ってサクッと実行してみてください。

**人生は、そのものが壮大なラボ（実験室）**なのですから。

# 第4章 見えない力に感謝する

## あなたにはご先祖というすごいサポーターがいます

人は誰でも弱気になったり、自分はツイていないと悲観的になったりするものです。

前向き思考を心がけている楽天家の私でも、へこむことはあります。しかし、そんなときは、いつもこう考えるのです。

「いや、**悪い方向に行くはずがない**んだった」

と。だって、私たちにはご先祖さまという大サポーター軍団がついているのですから。

私たちは、なにか大変な事態に出くわすと、一人でがんばっているような感覚にとらわれます。

「私を助けてくれる人などいやしない。一人でがんばるしかないんだ！」

こんな気持ちになることすらあります。しかし、考えてみてください。

あなたという一人は、ご先祖さまの代表者としていまこの世に存在しています。

あなたはご先祖のトップランナーとして走っていて、その後ろには、ものすごく大勢のご先祖さまがいるのです。

「なにも案ずることはない！　私たちの代表者よ、しっかりとあなたを見ているぞ！」

と応援してくれています。あなたが、たとえなにか障害に遭遇したとしても、そのサポーター軍団が、悪いようにするはずがないと思いませんか？

もし電卓が近くにあったら計算してみてください。

あなたがこの世に生まれるまでに、どれほどのご先祖さまがいたか。三十代遡《さかのぼ》ってみれば、およそ一億人以上の命のつながりがあります。

私たちは誰も、目に見えない大応援団に見守られているということに気づかなければなりません。ここに気づかないと、不安にさいなまれ、目に見える形で協力者を探し出そうとします。俗にいう「つるむ」という状態を求めるようになります。

いま若者たちによる凶悪犯罪が増えていることは説明するまでもありませんが、彼らの多くが仲間と一緒に犯罪に走ります。

「こんなひどいこと、したくないな」

と内心では思っていても、仲間はずれにされるのが怖くて断ることができません。

しかし、こんなのは本当の仲間ではないですよね。

「俺たち、仲間だよな。裏切らないよな」

と縛り合って、公共施設の壁にスプレーで落書きをすることが、仲間の証明であるはずがありません。

こういう若者が増えているということは、それだけ、
「あなたを大事に思っている人が大勢いるんだよ」
とまわりからいわれていないということです。

本当は子どもの頃に、親から教えてあげてほしいのです。
**「目に見えなくても、あなたの誕生を心から祝福し、ずっと応援してくれているご先祖さまがたくさんいるんだよ」**
ということを。子どもの頃にそれを知って安心すれば、形だけの仲間は必要なくなります。

人から見返りを期待したり、人の裏切りを恐れたりすることなく、感謝の気持ちで毎日を過ごすことができます。

いまの子どもたちが親からいわれる言葉で、ダントツに多いのが「がんばれ」だそうです。

もう子どもたちは十分にがんばっていて、これ以上どうがんばっていいかわ

からないのに、さらにがんばれといわれる。こういう状況では、本当に自分を認めて、無条件で応援してくれている存在がいることに、気づくことができません。

あなたが、もし、気づかないで今日まできてしまったとしたら、いま、ここで気づいてください。

**あなたには、たくさんの応援団がついています。**

あなたが生まれてきたことに大喜びして、あなたのすることを無条件で応援してくれている存在がいるのです。

## 人生は、とてつもない命のリレー

「目に入れても痛くない」

という表現が使われるときに、それは自分の子どもに対してよりも、むしろ孫に対してのことが多いようです。孫とはそれほどまでにかわいい存在なのでしょうか。

もちろんかわいいでしょう。しかし、それだけではありません。孫が生まれたときに多くの人が抱くのが、

**「これで命をつないだ」**

という不思議な安心感、安堵感だそうです。

私たちはご先祖さまからバトンを渡されて**命のリレー**をしています。自分の子どもが生まれたときよりも孫となると一気に実感が高まるようです。

その喜びを知っているために、他の人に孫が生まれたときも、我がことのように心から喜びをわかちあえるというのです。

この感覚は、血がつながっている間柄に限りません。たとえば、子どもがいない人が養子を迎え入れたりするのも、決して「自分の老後を見て欲しいから」などというものではありません。

与えられた命をバトンタッチし、宇宙のエネルギーを循環させることに寄与したいという、**人間本来の素晴らしい欲求によるもの**だと私は考えます。

みなさんは**「写瓶《しゃびょう》の弟子」**という言葉をご存じでしょうか。

究極の弟子、最高の弟子という意味ですが、この言葉にも、技術・知識・精神という知恵のリレーを望む人間心理がよく現れています。

「写瓶」とは、瓶の中味を一滴もこぼさずに、他の瓶に移し替えることを指します。つまりその人の知恵をまるまるそっくり継承するということです。「私は、あなたの写瓶の弟子になりたい」という言葉は最高の尊敬の表現でもあります。あなたそのものになりたいといっているわけですから。

多くの職人さんたちは、自分の技術を伝承すべく、血のつながっていない弟子をとっています。血はつながっていなくても、魂の部分でリレーができることを知っているのでしょう。

命には限りがあり、私たちの命は必ず終わりを迎えます。それなのになぜ、私たちは必死に命のバトンを次に渡そうとするのか。

そこには感謝があるからにほかなりません。一つの生命体としての無意識の感謝が、私たちを「命のリレー」へと突き動かしています。

私たちは誰もが、**生まれたときから感謝と光に満ちた存在**なのです。

## ご先祖さまに、うまく感謝を伝える方法

目に見えないご先祖さまではありますが、いつも私たちを見守り応援してくれているのですから、感謝の気持ちは伝えたいですよね。

「そうかそうか、もっと応援してあげるよ」と思っていただくためにも、ぜひ、ご先祖さまに感謝する習慣を身につけましょう。

具体的には、たとえば、こんな言葉を声にしてみます。

「ご先祖さま、いつも見守ってくださりありがとうございます。感謝しています。これからも**私たちの行く手を光で照らしてください**」

ここで間違ってはいけないのは、ご先祖さまには**感謝をするのであって、お願い事をするのではない**ということです。

「ご先祖さま、この問題が解決しますように」

「ご先祖さま、ひとつよろしくお願いします」

などというのは、じつはご先祖さまに対して失礼なのです。

なぜならば、最初からご先祖さまは私たちにとっていいようにしか、しないからです。それを疑っているから、ついお願い事をしてしまうのです。

第2章で私は、宇宙には完璧なるシナリオが存在していて、私たちはそれを信じているだけでいいのだと述べました。

もし、あなたが失恋をして落ち込んでいたとしても、それはそれでいいのです。

仕事で失敗したとしても、それはそれでいいのです。必ず、すべてがいい方向にいくようになっていて、あなたはそれを信じるだけでいい。**あなたの人生は、うまくいくしかない**のですから。

そこに気づいたら、ご先祖さまには、さらにこんな感謝の言葉を投げかけてみましょう。

「ご先祖さま、私と私に関するすべての命が輝いて、魂が向上することに感謝します」

向上することは決まっているのですから、疑うことなく感謝します。

こうして言葉にすると、ご先祖さまだけでなく自分の耳にも入ってきます。

そうすることで、

「そうだ、私は大丈夫なんだ。なに一つ心配することなんかないんだ」

と確認することもできますから、安心して心もより穏やかになります。

「〇〇になりますように！」

と強く願うアメリカ式の方法も悪くはないのですが、これはそうならない確率のほうが高いという不安感の裏返しです。力強く前を向いているようで、じつは、足元の不安におびえているのです。

私たちは、**いい方向にいくように決められている**のですから、ご先祖さまには、そうした存在として命を与えられたことに感謝するだけでいいのです。

# お墓に行かなくてもお墓参りはできる

ご先祖さまに感謝するには、場所は選びません。

仏壇に手を合わせなくとも、会社でも、一人暮らしのワンルームでも、感謝の気持ちを口にすれば、それでご先祖さまには十分に届きます。

でも、ときには、**自分の気持ちを整理するためにもお墓参りをしてみてはどうでしょうか。**


「最近、お墓参りをしていないな」

こんなふうに感じている人は結構いるはずです。お墓が遠い郷里にあれば、どうしたって帰省したときにしか、その機会が持てません。

「なかなか時間がとれないけれど、本当はもっとお墓参りがしたい」

こんな人に、とっておきの**プチお墓参り**を教えましょう。


まず、ご先祖さまのお墓を写真に撮ります。というと、

「え？ お墓を写真に撮っていいんですか？ なにか写ったりしませんか？」

と心配する人がいますが、これって、とんでもない勘違いです。

たしかに、お墓の下にお骨はあるけれど、ご先祖さまの霊魂がそこにいるわけではありません。お墓はご先祖さまとアクセスするための、たんなる基地（ベースキャンプ）だと考えればいいのです。


私たちのご先祖さまは、お墓の下にいるわけではなく、**私たちを見守るためにもっと高い次元の宇宙にいる**のです。そのご先祖さまとアクセスするために、お墓を目印にすればいいだけのこと。

「お墓ってなんとなく暗くて怖い」

というのは、たんなる思い込みにすぎません。安心して写真を撮ってくださ

い。

さて、お墓の写真を撮ったら、自分の部屋の一隅に「ホーリープレイス」を設けます。ホーリープレイスとは、神聖な場所という意味ですが、

「ここは私のホーリープレイスよ」

と思える清潔な場所なら、どんなに小さなスペースでもかまいません。そこに、お墓の写真を飾ってお参りしましょう。

「おじいちゃん、おばあちゃん。いつも見守ってくださってありがとうございます。なかなか、お墓まで行くことができませんが、いつも感謝しています」

これで立派なお墓参り。ご先祖さまにしっかり気持ちは届いています。

私は手帳に挟んでいつも持ち歩いています。

仕事の休憩時間などに眺めて感謝の言葉を口にしてみると、心がフーッと穏やかになるのを実感できます。

お墓参りの意味は、亡くなった人にだけ感謝することではありません。**ご先祖さまに感謝することで、いま生きている人に対する感謝も同時に生まれます。**まだ両親が存命ならもちろんのこと、友人や仕事仲間などに感謝する気持ちも生まれます。

たとえば、いま私が書いているこの本も、私だけの力でできるわけではありません。一緒に企画を検討してくれる編集者や、印刷所の人たちや、製紙会社の人、書店関係者の方々など、多くの力があってこそ実現します。

あなたの仕事も、どんな小さなことであっても、誰かが応援してくれているからできています。

そうした人たちへの感謝の習慣も、プチお墓参りをしているうちに、どんどん身についてくるでしょう。

## 隣のお墓もお参りしてみましょう

亡くなった人たちはお墓にいるのではなくて、お墓はただのアクセス基地だとわかれば、お墓に対する考えもかなり変わってくるはずです。

変に緊張したり、タブー視することが、いかにナンセンスなことかわかるでしょう。

私は、自分のご先祖さまのお墓参りをしたら、いつも近隣のお墓にもお参りしてきます。

「ええ？　人の家のお墓にお参りしていいんですか？」

と驚かれることがありますが、私にとっては当然のこと。

現実の世界のご近所と一緒で、ご先祖さまのご近所にはあいさつしてくるのが当たり前だと思っています。

それよりも、隣のお墓の名前も知らない人が多いことに私は驚かされるのです。あなたは、隣のお墓の名前を知っていますか？

せっかくお墓参りに行ったら、自分のご先祖さまのお墓だけきれいにしていないで、隣のお墓も掃除してきましょう。ゴミがあったら拾って、お線香をあげて手を合わせてきましょう。

もし、なんとなく抵抗があったら、遠くから手を合わせるだけでもいいのです。はじめの頃は抵抗があっても、やっているうちにとらわれがとれて、すんなりとお参りできるようになります。

「お、ご近所の佐藤さんが来てくれているな」

こんなふうに、ご先祖同士で連絡を取り合ってくれます。

とても信じられないというなら、ご近所のお墓の名前をすべてメモしてきてください。

私たちの世界では、**自分が意識を向けたことが起きる**ようになっています。楽しいことに意識を向ければ楽しいことが起きるし、心配していれば心配したようなことが起こります。

そういう世界にいて、ご近所のお墓の名前をメモしてくるとどういうことが起きるか……。その名字を持つ人に近々、出会うことになります。

これは実際にあった話ですが、私の知り合いがご近所のお墓にはじめて目を向けたときのこと。

ご近所のお墓は「斑目（まだらめ）さん」という、とても珍しい名字でした。そうしたら、その数週間後に、本当に斑目さんという人が新任の上司として現れたというのです。

「隣のお墓を見てごらん。草がぼうぼうでひどいもんだね。うちのお墓をこんなふうにしちゃダメだぞ」

こんなことを子どもたちにいう親は多いのですが、これではご先祖さまが大事にしている隣近所のおつき合いをぐちゃぐちゃにしていることになります。

「おじいちゃん、おばあちゃんとあの世で仲良くしてくれている、お隣のお墓もお参りしていこうね。お隣にも感謝して帰ろうね」

こんなふうに考えたとき、子どもたちはお隣のお墓のご先祖さまたちにもつながりを感じることになります。そうすることで応援してくれる自分の味方がどれほど増えるか、想像するまでもありませんね。

私は友人の家のお墓参りをさせてもらうのも大好きです。

「最近、お墓参りしてる？」

「いや、忙しくてちょっとさぼりぎみなんだよ」

こんな答えが返ってきたら、さっそく誘ってみます。

「よし、じゃあ、今度の日曜日に行かない？　僕にもキミの家のお墓参りさせてくれよ」

タオルやら歯ブラシやら、お墓をすみずみまでピカピカにするための七つ道具を持って出かけます。逆に、友人が私の家のお墓をお参りしてくれることもあります。

炎天下で汗だくになって草むしりをして、雨ざらしになっていた墓石をピカピカに磨き上げれば気分も爽快。じつにすがすがしい気持ちになります。お墓参りを一緒にした友人とは、不思議にその後のつながりがすごく深くなります。これも、ご先祖さま同士が連絡を取り合って、関係を強固にしてくれているからでしょう。

なにか、仕事で大きなプロジェクトを組むようなとき、居酒屋で団結式をすることも多いでしょう。でも、本当は**お墓参りをし合ったほうが、効果はずっと高い**のです。

「佐藤君のおじいちゃん、これから佐藤君と大きな仕事を一緒にすることになりました。ご縁をありがとうございます」

こうしてお墓参りをし合えば、その後の団結力は想像を超えたすごいものになること間違いナシです。

# 神社はあなたの最強の味方

お参りといえば、神社も欠かせない存在です。

「神社に行くのなんて、初詣のときくらいだな」

なんていわないで、これからは、もっと日常的に神社にお参りしてみましょう。

大きな神社である必要はありません。八幡神社、熊野神社、白山神社……近所を見回すと大小たくさんの神社があります。

そもそも神社ってどういう存在なんでしょうか。

「今年こそ、素敵な彼氏・彼女ができますように」

「大学受験で、第一志望に合格できますように」

いままでは、こんなお願い事をするために神社に行っていた人が多いのではないかと思います。

神社の境内に下げられた絵馬を見ればそれが明らかですね。

しかし、本来、**神社は自分の「ふるさと」へ感謝しに行くところ**なのです。ふるさとといっても生まれ故郷ではありません。お母さんのお腹のなかのことです。

神社には鳥居があって、参道があります。参道を歩いていくとお宮にたどりつきます。**参道は、すなわち産道**。私たちが生まれてきた道です。

**お宮は、子宮**を表します。

つまり神社にお参りするということは、**自分たちが通ってきた産道を戻って子宮にたどりつき、生まれた「いのち」に感謝をすること**なのです。

「命をありがとうございます。いま、こうして生きています。そして、いろいろと自由に選択ができています。ありがとうございます」

私たちがどのような選択もできる自由な状態で生かされていることを感謝します。すると、神さまは、

「そうか、この人はいろいろと選択できていることが嬉しいんだな。では、もっともっとそうしてあげよう」

と思ってくれます。


私の知人が、ある神社でこんな絵馬を見かけたそうです。

**「この一年間、家族が幸せに過ごせました。ありがとうございます」**

お願い事ではなく、こうした感謝が書かれていたそうです。

じつにいいですね。これを書いたお父さんが何歳の人かわかりませんが、自分のふるさとに戻ってきて、いまの状態を感謝している……。これこそが神社参りの本来の姿です。


家を出てちょっと歩いてみれば、どこにでも神社はあるはずです。都会のビ

ルの谷間にもけっこうあります。いままで無関心に通り過ぎていたと思いますが、これからはもっと気軽に足を踏み入れてみてください。

営業マンなら、外回りをしているときに見知らぬ神社にどんどんお参りしてみましょう。こういう習慣を持っていると、**絶えず感謝の気持ちがあるから自分がぶれません。**

飛び込み営業で、どなられたって傷つかないでいられます。

「あんまりお参りなんてしたことないから、もじもじしちゃって……」というなら、神社のそばを通ったときに足を止めて手を合わせるだけでもいいのです。

それすら抵抗があるなら、心のなかで手を合わせるだけでもいいのです。大事なのは、見えないものに意識を向けるということです。

## お地蔵さんや道祖神にはどう接するか

ハイキングなどをしていると、道ばたに小さなお地蔵さんや道祖神が祀《まつ》られていることがあります。そうしたもののそばを通りすぎるときに、あなたはどうしているでしょうか。

ほとんどの人が気づかないか、気づいてもそのまま通り過ぎてしまいます。しかし、感謝の習慣を身につけたあなたたなら、ぜひ足を止めて手を合わせてみてください。

ほんの数十秒の時間ですむことですが、これをすることで**自分の生活スタイルにも余裕が出てきますし、心のなかに感謝のタネをまくことができます。**

道祖神は、路傍の神とも呼ばれ、集落の境や道の辻、三叉路などにおもに石碑や石像の形態で祀られています。

旅の途中で行き倒れになって亡くなった人なども祀っていますから、人によっては気味が悪いと感じるようです。そこで手を合わせたら怨霊が乗り移るとでも思っているのでしょう。

あるいは、そっとしておいてあげたほうがいいのではないかと思う人もいるようです。

もちろんそんなことはなくて、手を合わせればそれらの魂が、喜んでくれてあなたを応援してくれます。気づいているのに、知らん顔して通り過ぎるほうがはるかによくありません。

それどころか、こういった場所はいいエネルギーに満ちています。

**たくさんの人が祈りを捧げてきたおかげで、いい磁場になっているの**です。

そういうところで自分も手を合わせて祈れば、たくさんの魂の応援が受けられます。

一度、手を合わせる経験をしてみると、同じようにハイキングをしていても不思議とたくさんの道祖神を見つけることができます。関心がなければ気づかなかったものが、一度、関心を向けると次から次へと目に入ってきます。

これは、**それだけあなたを応援してくれる魂が増えるということ。**ぜひ、一つひとつ手を合わせてみましょう。

とくに子ども連れだったらなおさらです。

道祖神やお地蔵さんを気味悪いと思ってしまうのは、幼い頃に本当のことを教えてもらっていないからです。両親が手を合わせ、

「お地蔵さん、ありがとうございます。守ってくださっているおかげで、家族で楽しくハイキングをしています」

といっていれば、子どもは見えない存在に畏敬の念を持ち、自然に手を合わせることを覚えていきます。

## 家系図をつくってみると、カルマが切れる

ご先祖さまに感謝するといっても、いったいどんな人たちだったのか想像がつかないと、なかなかピンとこないかもしれません。

そこで、**家系図をつくってみる**ことをおすすめします。

家系図といっても立派なものでなくてかまいません。次ページの図を埋めるつもりで書いてみましょう。

おじいちゃん、おばあちゃんまではよく知っていても、そのまたお父さんお母さんとなると案外知らない人が多いのではないでしょうか。いままでご両親

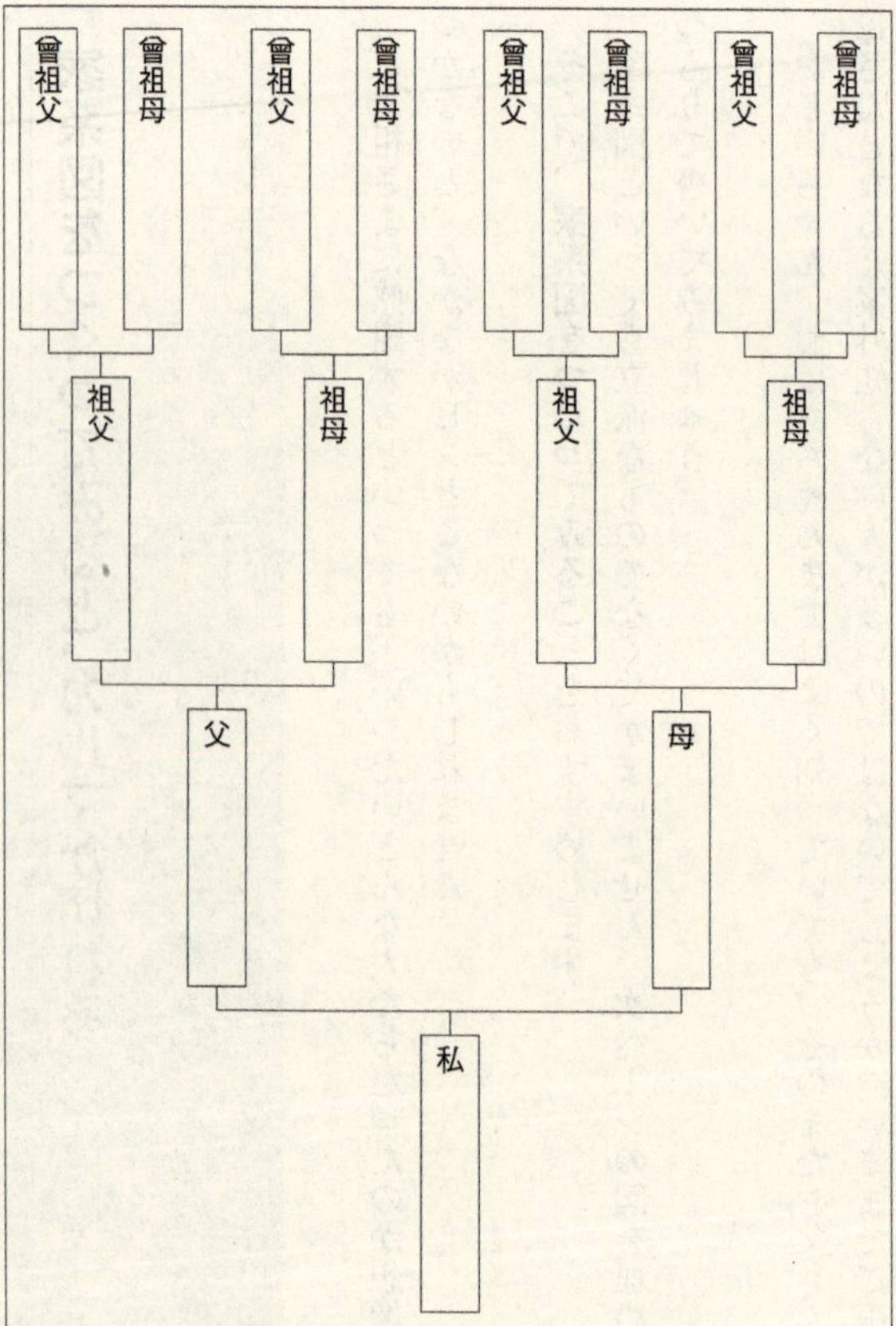


（※兄弟姉妹などは、適宜自由に書き足してください）

や、おじいちゃん、おばあちゃんとご先祖さまについて話をすることがなかったのなら、一度聞いてみてください。

「おばあちゃんのお母さんって、どんな人だったの？」

「お父さんのおじいちゃんって、なにをやっていたの？」

自分の子どもや孫にこんなふうに聞かれるのは、とっても嬉しいことなのです。

もし、くわしいことがわからなくても、命日だけでも書き込んでいきましょう。ご先祖さまの命日は、いま生きている人間に命の意味を考えさせてくれる日です。

**命日は暗い日ではなくて、命を考える感謝の日**なのです。

「あ、きょうは、おばあちゃんのそのまたおばあちゃんのご命日だ」

その人がいなければ、いまのあなたはいません。ご先祖さまの命日には感謝を込めて手を合わせましょう。

「おばあちゃんのおばあちゃん、今日はご命日ですね。いつも見守ってくださって、ありがとうございます」

ところで、家系図をつくっていくと、自分をとりまくカルマ（業）が見えてくることがあります。たとえば、離婚しやすいカルマを持った家系があります。なぜか犯罪に巻き込まれやすい家系もあります。

家系図をつくることで、そういったカルマも自覚できます。

「そんなの自覚したくない。絶望するだけじゃない」

なんて思わないでください。自覚して感謝に変えることで、そのカルマは切れるのです。

たとえば、自分の家系は離婚しやすい家系だと自覚したとします。もし、自分も夫とうまくいっていなかったとしたら、これまで、なんでも相手のせい、人のせいにしていなかったでしょうか？

「やんなっちゃう、うちのダンナ最低なのよ」

「まったく。俺は女運が悪いぜ」

これではカルマは切れません。

「ご先祖さま、大変だったんですね。そんななか、私に命のバトンを引き継いでくださってありがとうございます」

こう心からいえたときに、はじめてカルマが切れるのです。

人はたくさんのとらわれを背負って生きていますが、こういったものからも感謝で脱出できます。

たとえば、父親との関係が悪い女性というのがけっこういます。普段は普通に生活しているのですが、心のなかに、

「あんただけは許さない！」

というネガティブな感情を抱いています。

そうすると、出会う男性すべてが許せなくなってきます。せっかく相性のい

い素敵な男性と巡り会っても、

「あなたのこういうところがいやなのよ」

と細かいあら探しをしてしまうのです。もちろん、本人も幸せではありません。ここから脱出する方法は一つ。

「お父さん、ありがとう」

こういえたとき、つきものがとれて自由になれます。人間は自分で自分のゆく手をいろいろブロックして生きていますが、**感謝を口にすることで、感情のブロックがはずれて自由になれる**のです。

自分をしばりつけていたものを手放すための、魔法の呪文、それこそがまさに「ありがとう」の五文字なのです。

# 第5章

# 運を引き寄せる感謝大作戦

# 両親が感動してくれる感謝の伝え方

仕事をしているといろいろな人に出会いますが、感謝上手な人というのは案外少ないものです。

「ああ、あの人、本当はありがとうっていいたいのに、いえないんだな。損をしているな」

と思うことがあります。

世の中にはビジネスで、友人と共同経営を試みる人は多いのですが、それがうまくいくケースは少ないようです。

なまじ近くにいるだけに、経営に関する意見が食い違えば露骨な言い争いになります。

「キミがいたからここまでくることができた。ありがとう」

という一言が、なかなかいえません。しかし、どんなに意見が違っても、**相手に対する感謝を表すことができれば、事態はまったく変わってくる**のです。

もちろん仕事に限らず、相手が恋人であっても家族であっても感謝の気持ちを口にすることは大事なことです。

とくに身近な人に対しては、私たちはなかなか素直に感謝を伝えることができません。

母の日、敬老の日、結婚記念日……、

「今日こそ女房にありがとうっていおう」

「おふくろに電話でもして、ありがとうって伝えてみるか」

と、意気込んでいたのに、話し始めたら小言をいわれ、

「ちくしょー、せっかくありがとうっていおうとしたのに……。結局けんかしちゃったじゃないか」

なんてことになりがちです。

まずは、**自分に命をつないでくれた、もっとも直接的な存在である両親に、ありがとうをいう方法を考えてみましょう。**

親にありがとうと面と向かっていうのは、けっこう照れくさいものです。とくに男性は苦手でしょう。もし、電話で話すのも恥ずかしければ、旅先から葉書を出してもいいでしょう。

「いま富士山に来ています。いつもありがとう」

これだけでもいいのです。あるいは、親が留守のときにたずねて、おみやげと一緒にメモを置いてきてもいいのです。

「おみやげ置いておくね。いつもありがとう」

もちろん、こんな回りくどいことをせずに直接いうのが一番ですが、**まずは親にありがとうを伝える習慣をつけること。**その方法はいくらでもあるということです。

私は先日、ある経営者から相談を受けました。その会社の十周年記念に、どんなパーティをするべきだろうかという相談です。普通、こういうパーティですと有名人とか、マスコミとか、政治家とかを招きたくなるものです。

「どうだ！　俺の会社はこんなに大きくなったぞ」

経営者としては、こう誇示したいところです。しかし、その会社が成長できたのは、当然経営者だけの力によるものではありません。

従業員がいたからこそのことです。そこで私は、こんなアイデアを出しました。

「そのパーティの招待客は、従業員《スタッフ》とそのご両親がいいんじゃないの？」

彼はまったく想定していなかった提案をされて、最初はかなり驚いていましたが、私の意見を取り入れてくれました。

パーティはとても感動的で温かいものになったようです。従業員たちは、

「十周年パーティでは、私たちは接待の下働き要員だね」

と思っていたのが、逆に自分たちを社長が接待してくれました。そして、自分の親までをも呼んで感謝してくれたのです。

「徹君ががんばってくれているおかげで、会社が大きくなりました」

自分たちが一生懸命育てた息子や娘が一人前に働くようになった。それでも親としては、ちゃんとやっているのか心配している。そんななかで、社長が、わざわざ感謝の報告をしてくれた……。ご両親にとっては、これほど感動することはないでしょう。

ある会社では、初任給を渡すときの儀式が有名です。

その会社の新入社員は、はじめての給料をもらったら、必ず両親にプレゼントを渡さなければなりません。しかも、両親の前で手をついて頭を下げ、感謝の言葉とともに渡さなければならないことになっています。これは、業務命令なのです。

しかし、若い新入社員ばかりですから内心では、

「かんべんしてくれよー。うちの親はそういうタイプじゃないって」

「昨日も文句ばっかりいってたオヤジが本当に喜ぶのかよ」

などと思っているはずです。

いやだけれども、業務命令ですから、しぶしぶ、いわれたとおりにやってみます。すると、ほとんどの親が号泣するそうです。そして、本人はその展開にとっても驚くんですね。

この会社の新入社員は、親に感謝するという習慣を、こんなに若いときから持てるのですから幸せです。世間には親を亡くしてはじめて感謝の気持ちに気づく人も多くいるのですから。

もちろん、**いくつになってからでも遅いことはありません。**今日からその習慣を持ってみてください。

## 人間関係を丸くするスモールプレゼントの習慣

日本人にはあまりなじみがないのですが、欧米には「スモールプレゼント」という素晴らしい習慣があります。

特別な日じゃなくても、日頃から感謝している人に、なにか小さなプレゼントとメッセージを贈るのです。

高価なものである必要はありません。高価なものでは相手に心理的負担をかけるだけです。五百円くらいのもので十分です。

わざわざお店で包装してもらわなくても、自分でリボンをかけてもいいのです。気楽なあたたかみがあるほうがいいでしょう。

「いつもご指導ありがとうございます。私の好きな紅茶なんですが、召し上がってください」

「いつもがんばってくれてありがとう。これ、僕の好きな本なんだけど、よかったら読んでみて」

「キミとはケンカばっかりしているけど、本当は感謝しているよ。気味悪がらないで受け取れよな（笑）」

こんな一言を添えたスモールプレゼントを贈るだけで、どれだけ人間関係がうまくいくことでしょうか。こうした小さな感謝を形にしていくことが、あなたの人生を大きく変えてくれます。

メッセージは、長いものである必要はありません。気負わないで気楽にはじめてください。

最近は、メールで連絡事項が済んでしまうために、手紙や葉書を書く人が減りました。そういう人にとって、手書きでメッセージを書くのは、大変かもしれません。
そんなときに活用したいのが、小さなカードです。文具店にいけば、名刺用の素敵なカードが売られていますね。自分で手書きの名刺をつくったり、パソコンを使って名刺をつくるためのカードですが、これを利用するのも手です。

「いつもありがとうございます。　中村」

こんなカードをつくって、いつでも使えるように財布のなかにでも二、三枚入れておきます。書店でいい本を見かけたときに、

「あ、これ、清水さん喜ぶかも……」

と思ったら、その本にカードを挟んで清水さんの机に置いておきます。
あるいは、ランチを食べたレストランでおいしいお菓子を小売りしていて、

「そうだ、恵美さんはマカロン好きっていってたな」

と思い出したら、小さなお菓子にカードを添えて、恵美さんの机に置いておきます。

つまり**スモールプレゼントの習慣は、日常のさりげないシーンにいくらでも生かせる**ということです。

「隆司君の誕生日が近いな。なにかプレゼントを選ばなくては」

「明日は父の日か。なにがいいんだろう」

などというのではなく、どんなときにでも感謝の日にできるのが、スモールプレゼントのいいところです。

感謝のカードには名前を書かない手もあります。本当に感謝していたなら、

「それを贈ったのは私です」

と主張する必要もありません。

「あれ？　これ誰がくれたんだろう？」

最初は不思議に思っていた相手が、いつか、あなたからだと気づいたときを想像するのも、ちょっと楽しい時間です。

ちなみに、スモールプレゼントには、感謝がテーマの本書も最適、と考えていますがいかがでしょうか。

## 毎日を記念日にして、感謝のチャンスを増やす

感謝を形にするために、みなさんにぜひ見直してもらいたいのが誕生日の祝い方です。日本と海外では誕生日に対する感覚がちょっと違います。

**海外では、まわりへの感謝が先にある**のです。

都内で最大のインターナショナル・スクールでボランティアをしたときのことです。お誕生日の生徒が、クラスみんなに、ちょっとした文具のプレゼントを渡しているのを見て、私はびっくりしました。

一方、私たち日本人は、自分の誕生日には、まわりからお祝いしてもらうの

が当たり前だと思っています。だからこそ、楽しい日でもあると同時に、不満な日にもなってしまいます。

「私の誕生日なのに、誰も祝ってくれない……」

なんていっている人、けっこういるでしょう？　そうではなくて、

「今日は私の誕生日なの。みんな、いつもありがとうね」

といって、まわりの人たちに感謝のスモールプレゼントをするのが、インターナショナル・スクールのやり方です。

もちろん、まわりからもお祝いの言葉はかかりますし、プレゼントをもらうこともあります。けれどその前にまず、**自分が生まれてきたことに感謝する。**これ、とても素敵でいい習慣だと思うのです。

日本では、子どもの誕生日会には、親がかなり気をつかうようです。

「しーちゃんのお誕生日会、お宅は呼ばれていますか？」

「いくらくらいのプレゼントを持っていきますか？」

こうやって、気をつかいながらみんなでお祝いしてあげるのが日本流。

しかも、プレゼントは一人に集中します。つまり循環しない方法なのです。

これがインターナショナル・スクール方式なら、自分が好きなスモールプレゼントを気軽にいろいろな人に渡せます。プレゼントも感謝の気持ちも拡散し、循環していくのです。

誕生日に限らず、**記念日というのは、すべて感謝の日**だと思えばいいのです。

記念日なんだから、誰かになにかしてもらいたいという気持ちでいると、せっかくの日がつまらないものになります。

「ひどい！　結婚記念日を忘れたの？」

「なんで、その日に出張なのよ！」

となります。

でも、感謝の日と考えれば違います。

「あなたと結婚できて幸せ。ありがとう。その日に出張なんて、本当に大変だけど、がんばってくれてありがとう。翌日お祝いしましょうね」

こういう気持ちが、どれほど自分自身と相手を同時に幸せにしてくれるかは、説明するまでもありませんよね。

感謝の気持ちがあれば、きっと**毎日が記念日**になります。

「四月一日は、上司の山本さんが赴任してきた日」

「八月三日は、はじめて海外旅行に行けた日」

「六月二十三日は、お母さんが大病を克服して退院できた日」

こんなことを、アニバーサリィ・リフィルをつくって手帳に書き出してみてはどうでしょうか。自分がいかに多くの人と出会い、助けられて生きてきたか、よくわかります。そうしたら、感謝を口にしてみましょう。

「山本さんとは二年前の今日、出逢ったんですね。いつも温かく見守ってくださってありがとうございます」

「お父さん、私ね、この日にはじめて海外に行ったんだよ。ここまで育ててくれてありがとうね」

「お母さん、あのときは大変だったね。治ってくれて本当によかった。いつもありがとう」

この一言で、あなたは自分だけでなくまわりの人々をも、最高にハッピーにすることができるのです。

**天に向かって投げたボールは、必ず自分のもとへと舞い戻ってくる**のです。どんなボールを投げるかは、すべてあなた次第です。

ありがとうという感謝のボールを投げて、毎日を何かの記念日にするプロジェクトをどんどん推進していきましょう！

「毎日が記念日プロジェクト」で、人生はまったく別のものに輝き出します。

## リストに書き出せば、感謝の対象はどんどん広がる

本当は同じように生きているのに、感謝に満ちている人と不満だらけの人がいるのはなぜなのでしょう。

不満だらけの人はこういうはずです。

「だって不公平なんだもん。恵まれている人は、たくさんのものを持っているのに、私にはそれがないから……」

はたしてそうでしょうか？

**私たちはつい、ないものばかりに目がいってしまいます。**

「倉田さんのところはりっぱな一軒家だけれど、うちは違う」

「田中さんのところにはベンツがあるけど、うちにはない」

「同僚の多くはブランドのバッグを持っているけれど、私にはない」

こうして、ないものを書き出してもらったら、多くの人がノート三ページくらいあげてくるはずです。


では、こうリクエストしたらどうでしょうか?

**「あなたにあるものを書き出してください」**


おそらく、なかなか筆が進みません。それは、あるものが見あたらないからでなく、たくさんありすぎてとても書き出すことなんてできないからです。

「ないもの以外、すべてある!」

マンガ『キン肉マン』のなかで、ラーメンマンが発した言葉だそうです。とても深い含蓄のある哲学的メッセージです。

私たち日本人が、地球上でどれほど物質的に恵まれた生活をしているか、私がここでくどくどと説くまでもありません。

私の友人がインド旅行をしたときのことです。

インドでは、絶対に電車が時間通りに来ないと聞いていた彼は、覚悟を決めて駅に向かいます。すると驚いたことに、きちんと定刻に電車が来ました。

「なんだ、ちゃんと来るじゃないか。しかし、やけに込んでるな。なんでこんなに大勢乗ってるんだろう……」

その電車が込んでいる理由は、じつは前日から待っていた人々が乗っていたから。つまり電車は二十四時間遅れで到着したというわけです。

日本でこんなことがあったら大変です。山手線のように頻繁に来る電車にもきちんと時刻表があって、ほぼ完璧にその通りに走っています。これは他の国から見ると奇跡的なことなのです。

これに慣れてしまっている私たちは、数分でも電車が遅れるとイライラしてきます。遅れないのが当たり前だと思っているからです。しかし、定刻運行は誰かがそのために、大変な努力をしてくれているから可能なのです。

大型台風が来れば電車のダイヤは乱れます。帰宅の足が乱れたことに対する不満はあちこちで聞かれるのですが、翌朝にはきちんと電車が動いていることに感謝する声は、なかなか聞こえてきません。台風のなか、夜通し修理や点検に努めてくれた人がいるから、可能になったにもかかわらず……。

**当たり前になっているから見えずにいた感謝の対象は、目を向けはじめれば膨大なことに気づくでしょう。**

あるものリストはとても書ききれるものではありませんが、私がみなさんにぜひつくってほしいと思っているのが**「お世話になった人リスト」**です。

「私を応援してくれる人なんていない」

「僕はまわりの人に恵まれていない」

なんて考えることがあったら、なおさらつくってみてください。

時系列で、思い出せるもっとも古い記憶からたどっていきます。

普段、忙しく過ごしていると、子どもの頃のことを思い出す機会はあまりありませんが、幼い頃の嬉しい経験、感謝の経験を思い出すのは素晴らしいことです。

**誰かに愛された記憶、大切にされた記憶を書き出すことで、感謝のスイッチが入ります。**

私の知人の若い男性は、幼いころに十円をくれたおばさんのことを思い出しました。

彼は母親の誕生日にケーキを買いに行きました。ところがなにを間違えたのか、会計の段階になって十円足りないことに気づきます。

大人のいまなら方策はいくらでも考えつくでしょうが、子どもではそうはいきません。一生懸命考えてやってきたのに、お母さんにケーキを持って帰ってあげられない……。どうしていいかわかりません。そのときに、

「これ使ってね。偉いね、お母さん喜ぶわよ」

と十円をくれたおばさんがいたのです。彼にとって、それがどんなに嬉しいことだったか。子ども心にも、

「僕もこういうことができる人になりたい」

と思ったそうです。

いま、そのおばさんがどこに住んでいるかもわかりませんから、本人に直接ありがとうということはできません。しかし、彼が感謝の気持ちを蘇《よみがえ》らせることで、彼の周囲に感謝が循環し、やがてそのおばさんにも誰かからの感謝が届くことでしょう。


感謝の対象は、いま、まわりにいる人ばかりではありません。過去に温かい**経験をさせてくれた人たちのことを、どんどん思い出してください。**

## 自分の遺書を書こう、自分の弔辞《ちょうじ》を書こう

私はセミナーなどで、参加者に自分自身の遺書や弔辞《ちょうじ》を書いてもらうことがあります。

弔辞は、自分のお葬式で友人代表が読むであろう内容を想像して書きます。

遺書は、余命三か月と宣告されたケースを想定して書きます。

こうしたものを書くことで**自分の本質が見えてくる**のです。

私が好きな女性シンガー、EPO（エポ）さんの『百年の孤独』という歌の詞に、素晴らしい一節があります。

《いつの日か年をとって
みんなにさよなら　言う時が来て
ほんとうの　ありがとうを　言える気持ちは　どんなだろう》
彼女は、人が死ぬときには、まわりへの感謝の気持ちで満たされるはずだということを知っているのでしょう。
「残念ながら、あなたの命は今月いっぱいというところでしょう」
もし、医者からこういわれたら、あなたはどんな気持ちになるでしょうか？
もちろん無念さはあるでしょうが、同時に、
**「あの人に、ありがとうと伝えたい……」**
こう思える人がたくさん頭に浮かぶのではないでしょうか。でも一日では会うことができないから、せめて遺書に残すしかない。そういう状況を仮定して遺書を書いてみます。
どうですか？　もし、明日までしか生きられないとなったら、いま、あなた

を支えてくれている人たちに、本当はもっと感謝を伝えておきたかったと思うでしょう。

だったら、**それを普段から伝えておく**べきなのです。

私たちは誰もがみんな、必ず死にます。

いつその日が来るのかは誰にもわかりませんが、死は必ずやってきます。**私たちは誰もが「余命○年」の存在として生きています。**それなのに、

「残念ながら、余命は三か月ほどです」

といわれて、はじめて自分がそういう存在であったことに気づきます。

本当は、**余命が三か月といわれても、生き方が変わらないのが理想**です。それは普段から、感謝の生き方をしている証拠だからです。

余命三か月といわれてはじめて、

「いまからでも、つき合う人を変えます」

「もっと、やりたいことをやります」

というのは命の声に従っていない生き方なのです。余命三か月といわれて変えるくらいなら、最初からそうしていればいいわけです。

命の声に従っていれば、おのずと感謝があふれる生き方になります。文句タラタラの生き方をしているのは、命の声が聞こえていない証拠なのです。

お葬式で読まれるであろう弔辞を書いてみると、さらに自分の本質が明らかになります。

弔辞で読まれるのは、その人の習慣そのものだからです。

「あなたはいつも、笑顔を絶やさず冗談ばかりいっていましたね」

「お前は、本当にお酒が好きだったよな」

「マメで真面目で、連絡係をまかせたら右に出る人はいなかった」

こんなふうにその人の習慣が、思い出として語られるのです。

そのときにどんな習慣を持っていた人として語られたいでしょうか。

「いつも約束の時間に遅れてたけど、いまはそれが懐かしいよ」

「さぼってばかりのお前だったが、もう一度戻ってきてほしい」

などといわれるよりは、

「いつも、ありがとうっていってニコニコしていた人でした」

「小さな約束もキチンと守ってくれたステキな方でした」

といわれたいですよね。


これは、今日の習慣が決めるのです。十年後にそうなっていようというのではなく、「今・ココ・わたし」が魔法の合言葉なのだと気づいてください。

**「人は三十を過ぎると習慣だけが残る」**


といわれますが、私たちの存在は今日の習慣そのものです。

「いまは悪い習慣に流されているが、十年後はそうではない」

などという生き方はありえません。今日、たったいまから感謝の習慣を持つと決心してください。決めて、そうなる自分を許せば、なにもかもが変わっていくものです。

## 心音を聞けば、自分の素晴らしさがわかる

一時期、聴診器つきの本がブームになりました。

聴診器なんてお医者さんが首からぶら下げているものだと思っていたけれど、素人が使ったっていいんだと多くの人が気づいたわけです。

もちろん、素人が診察に使うわけではありません。

その目的は自分の心音（心臓の鼓動）を聞くことにあります。

「あなたは存在するだけで素晴らしいのですよ」

私がいくらこういっても、なかなか素直に受け入れてくれない人もいますが、自分の心音を聞いてみたら、考えが変わるはずです。

ドックン、ドックン……、心臓が力強く定期的に動いてくれているのがわかります。慌てたり緊張したりすれば、それが速くなっていきますし、リラックスすればゆっくりになる。私たちにとって、もっともいいように、心臓は動いてくれています。

考えてみれば、お母さんのお腹のなかにいるときからずっと、**心臓は休むことなく働いてくれています。**私たちが眠って楽しい夢を見ているときも、心臓は動いているのです。いったい一生に何回、心臓はドックンと動いてくれるのでしょうか。

いま、四十歳の人を考えてみましょう。

一分間に七十の脈拍だとすれば、四十歳の誕生日までに十五億回ほども動いたことになります。もう、これは感謝以外にありません。声に出していってみましょう。

「心臓さん、ありがとうございます」

聴診器がなくとも、胸に手を当てて、鼓動を感じるだけでもありがたみはわかります。

アメリカの大リーグの試合を見ていると、選手たちは国歌が流れているときに右手を胸に当てています。**心臓に手を持っていくことで、人間は真摯な気持ちになれる**のです。

ちょっと感謝の気持ちが足りない毎日を過ごしていると感じたら、胸に手を当ててみましょう。

ところで、聴診器で命の鼓動を聞くことができるのは、人間に限ったことではありません。

動物はもちろん、植物も同じです。

私はセミナーなどで、植物の「ある音」を聞くこともすすめています。もし、聴診器があるなら、朝の早い時間に公園に行って、**樹木に聴診器を当ててみてください。**

「ゴーッ」

樹木が、土から水を吸い上げている音が聞こえます。これを聞いたら、とても枝を折ったりする気持ちにはなれないはずです。

観葉植物でも、この音は十分に聞くことができます。私のオフィスで、観葉植物に水をあげ忘れることが起きたとき、私はあえてこんな方法をとりました。

「しばらくの間、誰も水をあげないでいてね」

こういっておいて、それから数日ぶりに水をあげます。そのときに観葉植物に聴診器を当てるのです。

「ゴワーッ！！」

それはそれは、すごい音がします。

水が欲しくて欲しくてたまらなかったのでしょう。やっとそれがもらえて、すごい勢いで水を吸っているのがわかります。

一度この体験をすると、ほとんどの人が、二度と水やりを忘れることはありません。

# 土に触れて邪気をアースする

自分以外の命の存在に感謝できたとき、人生の幸福度は飛躍的にアップします。

動物好きの人は、動物が人間にとってかけがえのない存在であることを知っています。ガーデニングが好きな人は、植物と土がどれほどの安らぎを与えてくれているか知っています。

こうしたことはもちろん素晴らしいのですが、ここではもっと小さな命にも注目してみましょう。すなわち、土です。

「土が生きているのか?」

と問われれば、もちろん生きています。

いってみれば、**土はすべての命の源**です。私たちは、普段からもっと土に触れる習慣を持ったほうがいいのです。少なくとも週末には公園などに行って、靴も靴下も脱いで、**裸足の足を土に触れさせてください。**

ウィークデーの五日間、コンクリートに囲まれて働いていれば、いいかげん体に邪気が溜まってきます。イライラした気持ちにもなるでしょう。

そこで土に触れて、邪気をアースするのです。

一度これをやってみると、土の持つ力に感謝せずにはいられなくなります。

私は、仕事の関係でどうしても週末に土に触れられないことがありますが、そんなときは月曜日から元気が出ません。枯渇した状態になるのです。

植物のように水を吸い上げているわけではないけれども、やはり**命にとっての大事なエネルギーを、私たちは土からもらっている**のです。

トップアスリートとして世界的に有名なある陸上選手は、裸足になって土や芝生の上を歩いてクールダウンするそうです。理由を問うと、「それをやると気持ちがよくて、疲労が取れるような気がするから」というのです。誰にも教わらなくても体がわかっているのでしょう。健康な肉体とはそういうものです。

しかし、ビルのなかで仕事をしていると誰でも感覚が鈍ってきます。だからこそ意識的に土に触れてほしいのです。

これからは、遊びに行くたびに土に触れる習慣を持ってみましょう。温泉旅行に行ったら、温泉に入っておいしいものを食べるだけでなく、旅館の近くの農家や果樹園にも寄ってみてはどうでしょう。

最近の子どもたちのなかには、ニンジンが、りんごのように木になっていると思っている子がいると聞き、驚きました。それも、すべて土に触れた体験がないからのことでしょう。

これでは、食べ物に対する感謝が生まれないのも無理はありません。私たちの命を支えてくれる食べ物が育っている様子をきちんと見ておくのは、とてもいい体験です。

「肝臓さん、いまからニンジンを食べますね。土の中で元気に育っていた有機のニンジンです」

「心臓さん、いまからいい水を飲みますね。大自然のなかで濾過されてきたミネラルたっぷりのお水です」

大宇宙の循環をイメージしながら、食べ物や自分の臓器に感謝して食事をする習慣も、土に触れることで難なく身につきます。

## 日本の童話で、やさしい気持ちがよみがえる

先ほど、誕生日の祝い方については、海外組に軍配をあげた私ですが、絶対に日本のほうが優れていると思っているものだってたくさんあります。

その一つが童話です。

**日本の童話は、許しや感謝というものを基本に置いている**のですが、欧米の童話は「おしおき」の発想。けっこう残酷なものが多いのです。殺してスープにしてしまうとか、腹を割いて石を入れ沼に沈めてしまうとか……。

「悪いことをすると、こんなひどい目に遭うんだぞ」

と教えているわけです。

いまの若いお母さんは、こういった欧米の童話を子どもに読んで聞かせることが多いようです。

でも、私は日本の童話をおすすめします。

それは子どものためだけでなくて、親の世代のためでもあります。とくに子育てをしているときは肉体的にハードで疲れが溜まっているはずです。仕事を持っているお母さんならなおさらのこと、精神的にもくたびれ果てているのではないでしょうか。

そうした状況のなかで、**心穏やかにありがとうをいえる気持ちを保つには、日本の童話はとても効果的**です。

たとえば、有名な『桃太郎』。どんな話だったか覚えていますか？

桃太郎は、イヌ（信頼）・サル（知恵）・キジ（情報）という家来を連れて鬼退治に行きます。しかし、鬼退治には行っても、鬼を殺したりしません。

悪いことは悪いときちんと教えるけれど、反省したら許してまた受け入れてあげるのです。

鬼が泣いて謝るなんて、なんともユーモラスで心温まる話ではないですか。

いまの子どもたちが夢中になっているテレビゲームは、大人が想像している以上に残虐です。

「死ね！　死ね！」などという台詞《セリフ》も頻発しますし、相手を叩くときには徹底的に叩きのめしてダウンさせます。手加減や相手に対する愛情はみじんもありません。命への感謝がまったく感じられないのです。

私は高性能パソコンの出現に大いに助けられていますし、新しい家電なども大好きな人間です。いまの文明を否定するつもりはまったくありません。

子どもたちからテレビゲームを取り上げるのは、現実的には無理な話だと思っています。でもだからこそ、一方で日本の童話を読み聞かせてあげる親の存在も重要だと思うのです。

もちろん童話は、子どもたちのためだけにあるのではありません。**大人になったいまこそ、本当に日本の童話の素晴らしさが理解できる**のかもしれません。

なんだか疲れてしまって感謝の気持ちが持てない。素直にありがとうという言葉を口にできない。もし、こんなことが続いたら、日本の素晴らしい童話を読んでみてください。

# 第6章
# 感謝のステージを無限にする

# 起きることには、すべて意味があります

私たちの毎日には、いろんなことが起こります。

楽しいことばかりではなくて、残念なこと、大変なことも起こります。見も知らぬ人に怒鳴られた。大事なものをなくしてしまった。待ち合わせ時間を間違えた……。

こんなことが起きると、どんなに明るい人でも気分は落ち込みます。しかし、そうしたときに、**起きたことの意味を考えてみると結果がまったく違ってきます。**

先日、私はあるホテルで行われるパーティに出席すべく、都内の電車に乗っ

ていました。すると途中の駅でぴたりと電車が止まってしまったのです。

「信号故障のため、ただいま全線ストップしております。復旧までには、相当の時間がかかる見込みです。みなさまにはお急ぎのところ大変にご迷惑をおかけします」

この放送が流れたとたんに、渋い顔でかなりの人が降りていきました。電車で行くことをあきらめて、タクシー乗り場に殺到したのです。

目をつり上げて駅員を怒鳴りながら我先にと走る姿には、復旧に向けて努力している人たちへの感謝など、みじんも感じられません。

私は、困ったことになったと思いながらも考えてみました。

**「まてよ？　こういうことが起きる意味はなんなんだ？」**

宇宙には完璧なるシナリオがあって、私はそれにしたがって生かされているとすれば、その日に起きたことにも必ず意味があるはずです。

「どういう意味があって、ご先祖さまはこうしたのかな……」

考えているうちに、すっかり電車は空いていきました。

ガランとした車両を見渡してみると、はじっこの席にポツンと見覚えのある人間が座っています。福島で通っていた県立高校の同級生でした。

「あれ？ 久しぶり！ どうしたの？ 東京にいたのかい？」

「いや、研修があって出てきただけなんだけど……。なんか、電車が動かなくなっちゃって、どうしていいかわからないんだよ。すごいね、東京の人は」

友人はすっかり出遅れて、途方に暮れていました。

東京に詳しくないので、その電車の復旧を待つしかないとあきらめていたようです。聞けば、彼が行くべき研修会場は、私が目指しているホテルのすぐそばです。

「なんだ、僕が行くところのすぐそばだよ。一緒に行こうよ」

懐かしい方言を交えながら、ずいぶん話し込んでいたおかげで、長蛇の列だったタクシー乗り場もすっかり空いて、すんなりタクシーに乗ることができました。

　タクシーのなかでいろいろ話しているうちに、同級生の勤めている会社で私が講演をするという話までまとまってしまいました。なんと、彼はその会社の研修の責任者だったのです。

　あのときに、私もイライラ軍団と一緒になって外へとダッシュしていたら、この出会いはありませんでした。


　朝のラッシュ時に、人身事故で電車が遅れることがありますね。そうすると必ず駅員さんに食ってかかる人がいます。

「どうしてくれるんだよ！　いつになったら動くんだ」

とイライラをまき散らし、ひどいときには、

「なんで、こんな時間帯に飛び込むんだよ。迷惑だな」

などという人すらいます。

　こんなことをつぶやく人は、電車に身を投げねばならぬほど苦しんでいた人に思いを寄せることすらできない、自分がやることや自分が行く場所にしか考

えがいかない、行き詰まった生き方をしているのですね。

普段から感謝の習慣を身につけていれば、こういう発想は絶対に出てきません。

「どなたか存じませんが、よほどつらかったんでしょう。軽傷ですみますように。万一、命を落とされた場合でも魂が安らかでありますように」

こうして心のなかで手を合わせることを、まず最初にしてください。

## いやなことを感謝に変えるワンクッション

私はカレーが大好きで、ランチにはよくスープカレーを食べます。その日は、仕事で訪れた慣れない街で、美味しそうなカレー屋を見つけて飛び込みました。

さて、ランチタイムのカレーセットを頼んで待っていると……。

待てども待てどもカレーがきません。

明らかに私よりも後から注文した人たちがすでに食べ始めているのに、私の席にはカレーが運ばれてきません。それどころか、食後に出てくるはずのコーヒーが運ばれてきてしまいました。

腹ぺこで、一刻も早くカレーにありつきたい気持ちをちょっとなだめて、私はこう自問自答してみました。

「なんでだ？　どういうことだろう。しばらくこの店にとどまっていたほうがいいということだろうか？」

考えているうちに、ランチタイムは終了した様子です。ここで、はじめて私はウェイトレスさんに聞いてみました。

「あの、私のカレーは？」

「キャーッ！　すみませ〜ん‼」

私が黙ってずっと待っていたことに気づいたウェイトレスさんは、平身低頭で、すぐにオーナーを連れてきました。

「誠に申し訳ありません。いまからすぐにつくらせていただいてもいいですか？」

「もちろんです。お願いします」

こうして、私だけのために新たにカレーをつくってくれました。

その間、オーナーといろいろおしゃべりしていると、オーナーの親友という人も現れました。こうして三人で話しているうちに、そこからビジネスにつながる話が生まれたのです。

「そうか、こういうチャンスをいただくために、カレーが出てこなかったんだな。ありがたいな。僕の分を忘れたウェイトレスさんに感謝だなあ……」

昔の私なら、間違いなく途中で怒鳴っていたでしょう。

「なにやってんだよ。俺のカレーはいつになったら出てくるんだよ！」

「だいたいコーヒーは、食後っていったじゃないか！」

こうした怒りの波動で接していたら、ウェイトレスさんは、たしかに急いでカレーは持ってきたかもしれませんが、それでおしまい。ビジネスの話など、いいことは起きません。

なぜなら、**完璧なる宇宙のシナリオを、怒りの波動（ノイズ）でもって自ら乱して書き換えてしまっている**のですから。

**宇宙のシナリオを信じられれば、本来、起きることはすべて楽しいことだと**

**わかる**ので、いちいち怒らないですみます。

一見いやなことが起きているようでも、それは、じつは楽しい結果をもたらすためのことだとわかっているからです。

嬉しいことに感謝するのは当たり前ですが、**いやなこと、困ったことにも感謝できるようになると、意識のステージが格段に上がります。**パソコンのOS（オペレーティング・システム）が変わるように、宇宙のシナリオが書き換わります。

そうすると、いままで不愉快に思えたことに対して、違うとらえ方ができるだけでなく、そもそも不愉快に思えるようなことが起きなくなります。

しかし、そうわかっていても、なかなかいやなことには感謝できません。新品の靴を思いっきり踏まれて謝りもせずにいられたら、

「なにするんだ、失礼なやつだな……」

こう思うのは当然です。

「足を踏んでくれてありがとう」

と思うことはできませんよね。しかし、そこで、いつまでも怒りの気持ちに引きずられずに、

「なんでだ？　なにか意味があるはずだぞ？」

「なぜなの？　この出来事の意味はなにかしら？」

と思うことでワンクッション置くことができます。

結局、大事なのは落とし込みどころです。


私たちが行きつきたいのは、どんなことにでも感謝できる自分です。起こった事象がなんであれ、結果的に大感謝・大満足の境地にいけばいいわけです。そこに持っていくためのワンクッションとして、**意味を考える時間が必要**なのです。

このタイムラグがないと、マイナス感情が即、マイナス行動に直結してしまい、後悔と苦労の多い人生を歩むことになってしまいます。

## 雲の上に出るステージの高い「ありがとう」

雷が鳴るのも大雨が降るのも、すべて雲の下の世界でのことです。雲の下で生きていると、雨の降らない世界なんてわかりません。

私は講演会などで地方へ行く機会が多くあります。たまには海外講演もあります。台風が近づいているような悪天候のときでも、飛行機に乗らねばなりません。土砂降りの雨のなかを離陸して、分厚い雲のなかに突っ込みます。窓の外は視界が悪いし、飛行機もひどく揺れます。このときの気分は決していいものではありません。

しかし、揺れながらも上昇を続け、**雲の上に機体が出てしまうと世界は一変**

**します。**そこにはどこまでも続く青い空が広がっています。

私たちは、現実の日常世界で、一刻も早く雲の上に出なければなりません。そこに行った人だけが見える世界があり、そこには、感謝のステージが高い人だけがいます。

そういう人に囲まれていれば、なおさら、素晴らしい感謝のキャッチボールもできます。

雲の上に出るためになにをしたらいいかといえば、自分に意地悪をした人に対しても感謝することでしょう。

葉祥明さんが書いた『リトルブッダ』（佼成出版社）という素晴らしい絵本があります。

読んでいる子どもたちに、あなた自身がリトルブッダなのだと教えてくれるのですが、この本は、

**「僕に意地悪をした人、ありがとう」**

という一節から始まります。

いやなことをされれば、人は誰でも不愉快な気持ちになります。

「なんだよ、あいつ！　私の前から消えてくれないかな」

こんなふうに思うのはまだましで、

「転んで怪我でもすればいいのに」

「自分よりもひどい目に遭わしてやりたい」

なんて思ってしまいがちです。しかし、これだと、いつまでたっても雲の上に出ることができないんです。

日々、幸せに暮らしていても、誰かが心に小石を投げてきます。穏やかだった心の湖に、小石を投げてくる人がいます。小石どころか大きな石を投げてくる人もいて、水面は波立ち心がささくれ立ちます。

ここで、**ささくれ立った心のままに、自分も石を投げ返してしまったら、あとはさらに大きな石を投げ合うしかありません。**

しかし、そうせずに、投げられた石の意味を考えていると、やがてその波はおさまります。

投げられた石の意味を考えてみると、それは自分のなかにもあることに気づきます、一方的に石を投げられていたのではなくて、じつは自分だって、誰かの心に石を投げていたのです。

あなたの心に石を投げていた人は、あなたにそれを気づかせるために投げていたのです。ですから、それに気づくと、その人は去っていきます。気づかないで相手に対して怒っているかぎり、その人はそこにあいかわらず居座って、大小さまざまな石を投げ続けてくるのです。

つまり、あなたに意地悪をする人は、**あなたのために意地悪をしてくれているありがたい存在**なのです。

ですから、こういう人たちにも感謝をするべきなんだなと気づき、実際にありがとうといえたときに、私たちは雲の上に出ることができます。

「そんなこと、いくらいわれたって、感情的に絶対、無理！」

この気持ち、わかります。

意地悪をされた生々しい記憶がある以上、なかなか難しいですよね。こういうときこそ神社・仏閣に行くといいのです。自分の家ではできなくても、神社やお寺なら話はべつです。そこには、雲の上に出ようとしているあなたを応援してくれる神さまや仏さまがいます。

神仏の前で、自分が許せないと思っている人に感謝し、その人たちの幸せを祈ってください。

そうするとどうなるか。宇宙では、こう判断します。

「ああ、この人はもうこのレベルまで来ているんだな。だったら、もうその下のことは経験しなくていいね」

こうして、パソコンのOSが入れ換わるように、宇宙のシナリオも書き換わります。私たちは、**自分の宿命は変えられませんが、運命はいくらでも変えることができる**のです。

## ねたみや焦りと無縁の仕事をするには

多くの企業が春になると人事異動を行います。

その時期の居酒屋では、こんな会話が行き交います。

「なんで、あいつが課長なんだよ。人事も見る目がないよねえ」

「高橋さん、余裕を気取ってたけど引きつってたよね。後輩に抜かれるとは思ってもみなかったんじゃない？」

人の出世を気にするなといってもなかなか難しいものです。とくにライバルと目されている人物には負けたくないと、誰もが気をもむようです。

しかし、**高いステージで仕事をしている人は、他の人の活躍も心から祝福で**

**きます**し、そもそも、人と自分を比べる必要がないことを知っています。

宇宙の完璧なるシナリオによって与えられた**自分の仕事の意味に、意識がフォーカスされている**のです。有名なウサギとカメの寓話《ぐうわ》で、ウサギがライバルのカメにフォーカスしていたのに対し、カメは、ウサギではなくゴールだけにフォーカスしていたことを思い出します。

アメリカの大リーグで、多くの日本人選手が活躍していますが、彼らは自分の使命をわかっていて、それをかなえるべく闘っているからこそ、いい成績が残せます。

レッドソックスに行った岡島選手があれだけ活躍できたのも、自分の仕事の意味がわかっていて、松坂選手やチームメイトに対する祝福と感謝を表すことのできる人材だからこそでしょう。

同様に、ライバルではなく夢にフォーカスして大成功したこんな話がありま す。

ある日本人の研究者が、砂漠の緑地化に取り組んでいました。もう高齢ではありましたが、私財を投じて研究を続けていました。

それまで、いろいろな研究機関が砂漠の緑地化に挑んできたのに、ことごとく失敗しています。

世界の大企業や、トップクラスの研究機関が科学の力の粋を尽くしてやってきたのにダメだった。それを、一人の高齢者になにができるのかと、誰も最初は期待していなかったようです。

しかし、その研究者は注目されるためにやっているのではありません。名誉が欲しくてやっているのではありません。ただ、使命感のみでやっているのです。

だからこそ、わくわくした気持ちで疲れも知らずにコツコツ続けることができたのです。彼の考えの根っこになっていたのは、地球自体が大きな生命体だというガイア理論です。

彼の考えた方法はじつにシンプルです。

いままで、多くの研究機関が、Aのタネ、Bのタネ、Cのタネ……といくつものタネを蒔いてきても、どれも芽を出すことはありませんでした。その土地にもっとも合ったものを蒔けば、芽を出すはずだけれど、どのタネが合っているかなんて誰にもわかりません。

こう考えたその研究者は、何十種類ものタネを混ぜた「タネ団子」をつくります。そしてそれを、ゴムの力で砂漠のあちこちに、ぴゅーんと飛ばします。昔「パチンコ」と呼ばれる子どものおもちゃがあったのですが、その活用です。

そうしたら、見事に芽が出て砂漠に木が生え始めました。科学の力でなぎ倒すのではなく、

「大地さん、あなたがもっともお好きなタネを選んでください」

こういう謙虚な気持ちがあったから成功したのでしょう。

最初は自費でやっていたのですから、材料費も渡航滞在費も大変だったろうと思います。しかし、高い意識で仕事をしている人には生命エネルギーが循環

していますから、必ずいい形で結実します。

このケースでも、やがて応援する企業が出てきました。そうした企業によって開発された紙おむつに応用されている水分を長く保つ材質の保湿パッドでくるんだ「タネ団子」を飛ばすようにしたら、さらに効果が上がりました。こうなると、お金も人もどんどんいい方向に動き始め、いまでは一大プロジェクトとなっています。

最初に緑地化を試みては失敗していた企業や研究機関には、

「あそこには負けたくない。こっちが成功させるんだ」

というねたみや焦りがなかったとはいえないでしょう。

本当に大きな意味ある仕事とは、そうしたものからは無縁の、ピュアな夢を実現させようとする「夢現力」ともいうべき力が成し遂げるのです。

## 宇宙の貯金が増える生き方

私の知人で素晴らしい活躍をしている事業家がいます。

彼は、多忙を極める毎日のなかでも人づきあいを大事にし、さらに仕事も大きくしていくという、いいスパイラルを持っています。

どうしてそんなことが可能なのか、そのコツを聞いてみたことがあります。

**「僕のモットーは小さな約束をしないこと」**

彼はそう答えました。

私たちは、その場でいいかっこをしたいために、小さな約束をしては、それを破っています。

「それ、メールで送っておきますよ」

「今度、ご招待しますよ」

「私のほうからもプッシュしておきますね」

こんな安請け合いをして、結局やらないことが多いのです。相手もさほど期待はしていないでしょうが、いわれたことは頭の隅で覚えてはいるはずです。

「あ、いけない……。あれ、やっていなかったな」

小さな約束をすると自分でも苦しくなりますし、次に相手に会ったときに、なんとなく気まずい思いもしなければなりません。

彼は、そういう約束を一切しないのだそうです。

では、彼が冷たい人で、他人のためになにもしないのかといったらそうではありません。

**彼は約束をせずにやってしまうのです。**

「いい建築士を探しているんですよ……」

たとえば、こういう人が目の前にいても、

「ちょっと調べてお知らせしましょうか」

などとはいいません。それをせずに黙って調べます。

「先日、たしか建築士をお探しだとおっしゃっていた記憶がありますが、私なりにおすすめの方をお知らせいたしますね」

こうして、約束をせずにやってあげると、なにも期待していなかった相手にとても喜ばれるそうです。

つまり、彼は相手に小さな約束をしないで、**自分と約束しているのです**。

「この人のために、いい建築士を調べよう」

と。そして、自分との約束を果たせれば、相手はとても喜んでくれますし、もし果たせなかったとしても相手を失望させることはありません。

その場でいいかっこをしたい気持ちをぐっと飲み込んで、あなたも小さな約束は自分としてみましょう。

私が小学生だった頃、私は学校の「煙突掃除」が趣味でした。若い人には想像もつかないかもしれませんが、当時は「だるまストーブ」といって、石炭を燃やすストーブが主流だったのです。

当然、煙を室外に流す煙突があるのですが、なかは煤《すす》で真っ黒です。当時、用務員さんと呼ばれていたおじさんが、すべてのクラスの煙突を一生懸命掃除をしてくれていました。

「大変そうだなあ。僕にも手伝えないかなあ」

なにを思ったか佐藤少年は、次の日曜日にこっそり学校に忍び込み、煙突掃除に挑戦するのです。

それは思ったよりもずっと大変で、終わったときには鼻の穴まで真っ黒になるほどでした。

しかし、その爽快感にやみつきになった私は、日曜日のたびに、一クラスずつ掃除をしていたのです。

ところが、あるとき用務員さんに見つかってしまいます。こっそり忍び込んでいたことを怒られるかと思ったら、用務員さんはすこぶる喜んでくれて、校長先生に報告します。

おかげで、私は朝礼で褒められてしまうのですが、これを機に、なんだか煙突掃除へのモチベーションが急にダウンしていきました。

これは、私にとってトイレ掃除と同じで、人知れずやることに意味があったのだと思います。

**ありがとうをいわせないでなにかができれば、本当はそれが最高**なのです。

ありがとうをいわせてしまった瞬間に、プラスマイナス・ゼロに相殺《そうさい》されてしまうのです。

「パソコン、直しておいたから」

「本当？　ありがとー！」

「いいんだよ、気にしないで」

この段階で、感謝はプラマイ・ゼロ。

理想としては「陰徳を積む」という言葉のように生きることです。見えないところでいいことをするという意味ですが、それによって宇宙の貯金が増えていくと思っていいでしょう。

人にありがとうをいわせずに、感謝を求めずに、小さななにかを人のため地球のためにどんどんやっていけるようになると、あなたのステージは格段に上がります。

昔の人たちの箴言《しんげん》「情けは人の為ならず」は、まさに真理だったのです。

自分との小さな約束を守るたびに、私たちは、自分を信じることができるようになります。

自分を信じることが、とりもなおさず「自信」へとつながっていくのです。

そうして自信がもてるようになると、自分をますます好きになります。

自分を好きになることこそ、幸福への絶対必要条件なのです！

# 重要じゃないと思えることこそ大事なんです

私はいまでこそ、企業や学校での講演という仕事にも恵まれ、たくさんの読者の方々にメッセージを伝えられ、感謝に満ちた生活を送ることができていますが、かつては、実に迷いの多い辛い日々を過ごしていました。

本来、**感謝に満ちた毎日を送るためには、人間関係の三角形がバランスよく保たれていることが重要**で、いまの私にはそれがわかるのですが、かつての私はそれができていなかったのです。

人間関係の三角形とは**「自分」「仕事関係者」「家族・友人・親戚・ご近所」**

からなります。

仕事がうまくいかずに焦っていた頃の私は、いま思うと、大きな勘違いをしていました。

「とにかく仕事を成功させるためには、仕事の人間関係を重視しないと……」

私は自分と仕事関係者という二方向の関係ばかりに目を向け、家族や友人などとの時間は、積極的にはとろうとしませんでした。ましてや親戚やご近所に気を配る余裕などまったくなかったのです。

遠い親戚の法事や、地域の社会奉仕活動などがあれば、

「その日は仕事が入っていてどうにもならないよ。悪いけど、僕抜きでなんとかしておいて」

と家族に押しつけ、まるで自分の仕事のほうが重要度が数段高いものであるかのように振る舞っていました。

私だけでなく、日本のビジネスパーソンたちは、往々にしてこうなのではないでしょうか。

しかし、それほど仕事関係のつながりを最優先しているにもかかわらず、いま一つ仕事がうまくいきません。どうも、なにかが違うのだろうと感じ始めていた私は、あえて、それまで軽視しがちだった家族や親戚などに目を向けるようにしたのです。

私は、暑中見舞いなんか出したこともなかった親類・縁者の方たちに、とくに用はないのに葉書を出してみました。

「ご無沙汰していますがお元気ですか？　いつもみなさんの健康と幸せを祈っています」

そのとたん、たったこれだけのことで、私のなかに温かい感情が満ちてきました。

「そうだった。僕は仕事関係のことばかりに意識が行きすぎていた。でも、僕には優しい親戚・縁者の人たちが大勢いたんだった。ありがたいなあ……」

もちろん、なにかの見返りを期待していたわけではありません。ただ、なんとなく感謝の気持ちを伝えたくなってしまったのです。

突然、葉書を受け取った親戚はびっくりしたでしょうが、意識の片隅に引っかかってくれていたのでしょう。しばらくして、自分たちでつくったという無農薬野菜をどっさり送ってくれました。

それまでの私だったら、そういったものを送ってもらっても、

「あ、そうなんだ」

くらいにしか思わなかったでしょう。

しかし、このときはそうではありませんでした。泥だらけの不揃いな野菜を見て、本当にありがたく思ったのです。そして、自然にこんな考えが浮かびました。

「こんなにたくさん美味しい野菜をもらったんだから、ご近所にも分けてみようかな。そうだ、仕事関係の人にも食べてもらおうかな」

このときの私は、人間関係の三角形をきれいに保てていたのだと思います。

「佐藤さんは、ご親戚を大事になさる人なんですね。私はそういう人と一緒に仕事がしたいと思っていたんですよ」

泥つきの野菜を手渡した仕事関係者から思いもよらぬ言葉をいただき、信頼してもらうことができました。

それからというもの、不思議なくらいに仕事がどんどんうまくいくようになりました。

私はこのときはじめて、**問題の解決策や新しいチャンスというものは、思いもよらないところからやってくるということに気づかされたのです。**

**成功している人たちというのは、例外なくマメ**です。

しかも、三角形がバランスよく保たれるように気を配っています。ちょっと時間ができれば、用事がなくても様々な方面に連絡を入れています。

「あ、冨田です。いや、とくに用はないんですけれど、どうしているかなと思って」

こんな短い電話を、面倒がらずにマメに入れています。

電車が止まって多くの人がイライラしている時でさえも、**時間ができて今がチャンス**とばかり、あちこちに用事もないのに電話を入れています。

用事があるときに連絡をするのは当たり前で、それは自分の得になるからすることです。

用事がないときに思いをはせ、連絡するという行動に出ることは、その人に対する感謝がないとできません。そんな感謝がふだんから持てる人だからこそ成功しているともいえます。

仕事を成功させようと思ったときほど、家族やパートナーや友人や親戚やご近所に目を向けてみてください。**そして損得抜きで、多くの人間関係に思いを寄せて**感謝してみてください。そこには、思いも寄らぬほどキラキラと輝く新しい道が開けています。

そのまぶしいくらいの輝きは、私たちの生命《いのち》の輝きそのものにほかならないのです。

私たちは、悩み・苦しむためにこの世に生まれてきたのではありません。キラキラと生命《いのち》を輝かせながら、この世で体験するすべてのことを楽しむために、この星へやってきたのです。

自分と自分に関係するすべての生命《いのち》を、大楽へと導いていきましょう。

「ありがとう」という魔法のツールを使いながら。

この本の収益の一部は、著者の意向により
㈳セーブ・ザ・チルドレン・ジャパンへ寄付されます。
(http://www.savechildren.or.jp/)

著者紹介

**佐藤 伝**（さとう　でん）

作家＆講演家。国際ナイン・マトリックス協会（iNMAX）会長。ひとりビジネス応援塾塾長。

行動習慣の専門家として、NHK「おはよう日本」や「日経ビジネス・アソシエ」、フジテレビ「ホンマでっか!? TV」など多くのマスコミでも紹介され、海外ではマトリックス問題解決法のエキスパートとして知られている。脳外科医の父と仏教学者の祖父の影響のもと、科学的行動習慣について研鑽を重ね、そのエッセンスを都心・半蔵門の創造学習研究所にて30年間にわたって実践指導。氏の薫陶を受けた門下生たちは、すでに30代・40代となりオピニオンリーダーとして、ビジネスや医学・教育・マスコミなど各分野の第一線で活躍中。

「９マス（ナイン・マトリックス）」というユニークな問題解決法で、上場企業のリーダー研修を行う人気講師でもあり、教育機関（小・中・高・大）での「行動習慣」の講演は、おもしろくてすぐに役に立つと生徒・教員をはじめ保護者にも大好評。

海外で翻訳された著作も多く、ウィーン・NY・ミラノ・ロンドンなど海外講演も精力的に受けており、国内外で氏の著作は累計100万部を突破しているミリオンセラー作家である。

「なんとなくイイ気分」でいることが、人生でもっとも大事と独自の理論を展開。そのスピリットと行動習慣を自宅でらくらく習得できる「行動習慣ナビゲーター（Dream Navigator）講座」は、わかりやすく具体的・実践的で即効性のある内容が評判をよび、“超”人気の学びの場となっている。

また、ライフワークとして取り組んでいる「ひとりビジネス応援塾」と「Dream Stage Zero One」は、起業のためのベースキャンプ（発信基地）として高い評価を得ている。

日本の朝活のパイオニアとして、2002年以来15年以上にわたって継続実施している月例の「プレミアム朝カフェ」は、全国から自由にファンが集う貴重な出会いの場となっている。

親しみやすく謙虚な人柄から「習慣といえば、伝ちゃん先生！」と幅広い年齢層から慕われている。

■佐藤伝　公式サイト　http://satohden.com/

本書は、書き下ろし作品です。

ＰＨＰ文庫　「感謝の習慣」で人生はすべてうまくいく！

2008年１月24日　第１版第１刷
2025年２月28日　第１版第12刷

著　　者　　佐藤　伝
発 行 者　　永田貴之
発 行 所　　株式会社ＰＨＰ研究所
東京本部　〒135-8137 江東区豊洲5-6-52
ビジネス・教養出版部　☎03-3520-9617(編集)
普及部　☎03-3520-9630(販売)
京都本部　〒601-8411 京都市南区西九条北ノ内町11
PHP INTERFACE　https://www.php.co.jp/
組　　版　　朝日メディアインターナショナル株式会社
印 刷 所
製 本 所　　大日本印刷株式会社


ISBN978-4-569-66957-1

PHP文庫

# 強運を呼び込む47の習慣

佐藤 伝 著

「こちらから先に挨拶をする」「絵はがきを出す」など、行動習慣のプロがちょっとのコツで強運体質になる〝魔法のテクニック〟を伝授！